Le Français d'Aujourd'hui

première partie

by

P. J. DOWNES

Headmaster, Henry Box School, Witney, Oxon

and

E. A. GRIFFITH

Head of Language Department, Varndean Sixth Form College, Brighton

drawings by

F. CHALAUD

Art Master at the Lycée Francais de Londres

HODDER AND STOUGHTON

LONDON SYDNEY AUCKLAND TORONTO

ISBN 0 340 20368 4

First printed 1966
Second edition 1968
Second impression (with revisions) 1969
Third edition 1971, reprinted 1971, 1974, 1975, 1976, 1977, 1978, 1979, 1980

Printed in Great Britain for
Hodder and Stoughton Educational,
a division of Hodder and Stoughton Ltd,
Mill Road, Dunton Green, Sevenoaks, Kent
by Fletcher & Son Ltd, Norwich

AUTHORS' PREFACE

This course is designed to take pupils in secondary schools to C.S.E. or G.C.E. 'O' level in four or five years. Those who have started French in the Primary School will find a wider range of material; complete beginners may also start with this course, at an appropriately slower pace, as all the basic grammar and vocabulary have been included.

The first part of the course consists of the Pupil's Book, the Teacher's Handbook, the Audio-Visual material, flashcards, group-work cards, records (or tapes) of the reading passages in this book and worksheets available as spirit-duplicator masters.

Our aim has been to encourage the pupils to speak French with enjoyment and confidence. At the same time, the transition to reading and writing French has been made as easy as possible. By the end of this first part, for which some schools will need up to two years, pupils should be able to speak, read and write about everyday topics.

After a few introductory pages, every double-page is a self-contained unit arranged as follows: on the left-hand page, the story or new material is presented, with the relevant new vocabulary printed at the bottom of the page for easy reference; on the right-hand page, there is a visual presentation of a grammatical point or two, with various ways of practising them. Every few pages there is a chance for revision.

The much-reduced grammatical material has been broken down into small units to enable even weaker pupils to grasp it. The teacher can thus more easily adjust the rate of progress to the ability of his pupils, without loss of enthusiasm.

We strongly recommend that the teacher should make use of the Teacher's Handbook, which contains much supplementary material, including detailed suggestions for the presentation of each lesson, dictations, comprehension exercises, games, oral work and advice on the best use of the 'cahier'.

The best value is obtained from this course when the book is used in conjunction with the Audio-Visual material (tape-recordings and film-strips in full colour). The teacher will find that the main benefits are: improved pronunciation and intonation, better retention of vocabulary, and greater interest in oral work.

Up to now, the use of recorded material has been restricted to the classroom. To encourage and enable pupils to listen at home to the French they have been studying at school, recordings of the reading-passages from this book have been made available on tapes, cassettes and records. These should be obtained direct from the publishers.

We should like to thank all those who have helped in testing and criticising our ideas, especially those whose suggestions have been included in this new edition.

We would also like to thank the following for their help in supplying us with the photographs that have been reproduced in various parts of the book: the S.N.C.F.; French Government Tourist Office; and Orly Airport.

P.J.D.
E.A.G.

LA FRANCE

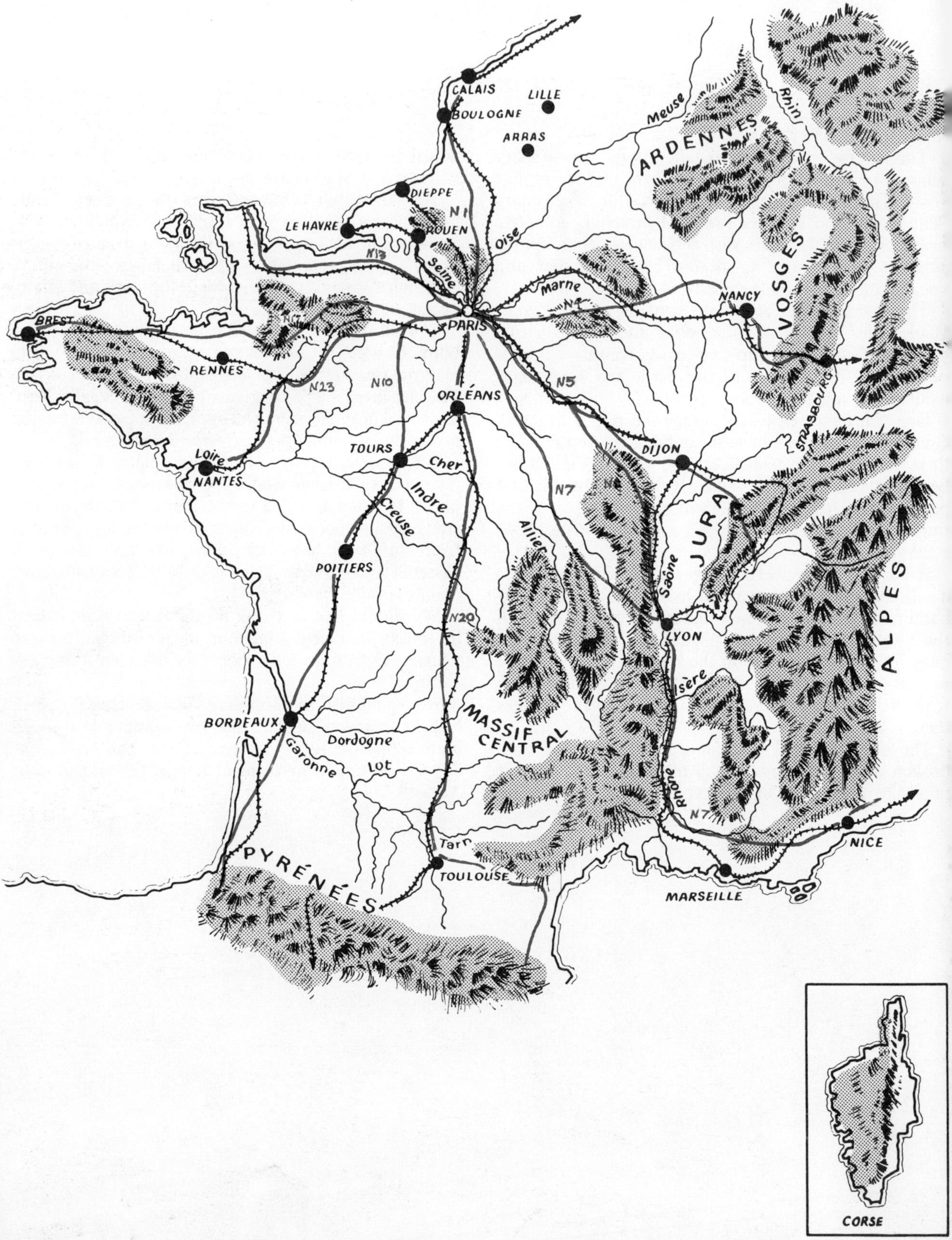
CALAIS
LILLE
BOULOGNE
ARRAS
DIEPPE
LE HAVRE
ROUEN
N1
N13
Seine
Oise
Meuse
ARDENNES
Rhin
VOSGES
Marne
N4
NANCY
PARIS
BREST
RENNES
N23
N10
N5
ORLÉANS
STRASBOURG
DIJON
TOURS
Cher
Loire
NANTES
Indre
Creuse
N7
N6
Allier
JURA
Saône
POITIERS
ALPES
N20
LYON
Isère
MASSIF
CENTRAL
BORDEAUX
Dordogne
Garonne
Lot
Rhone
N7
NICE
Tarn
PYRÉNÉES
TOULOUSE
MARSEILLE
CORSE

2

3

4

L'ALPHABET FRANÇAIS

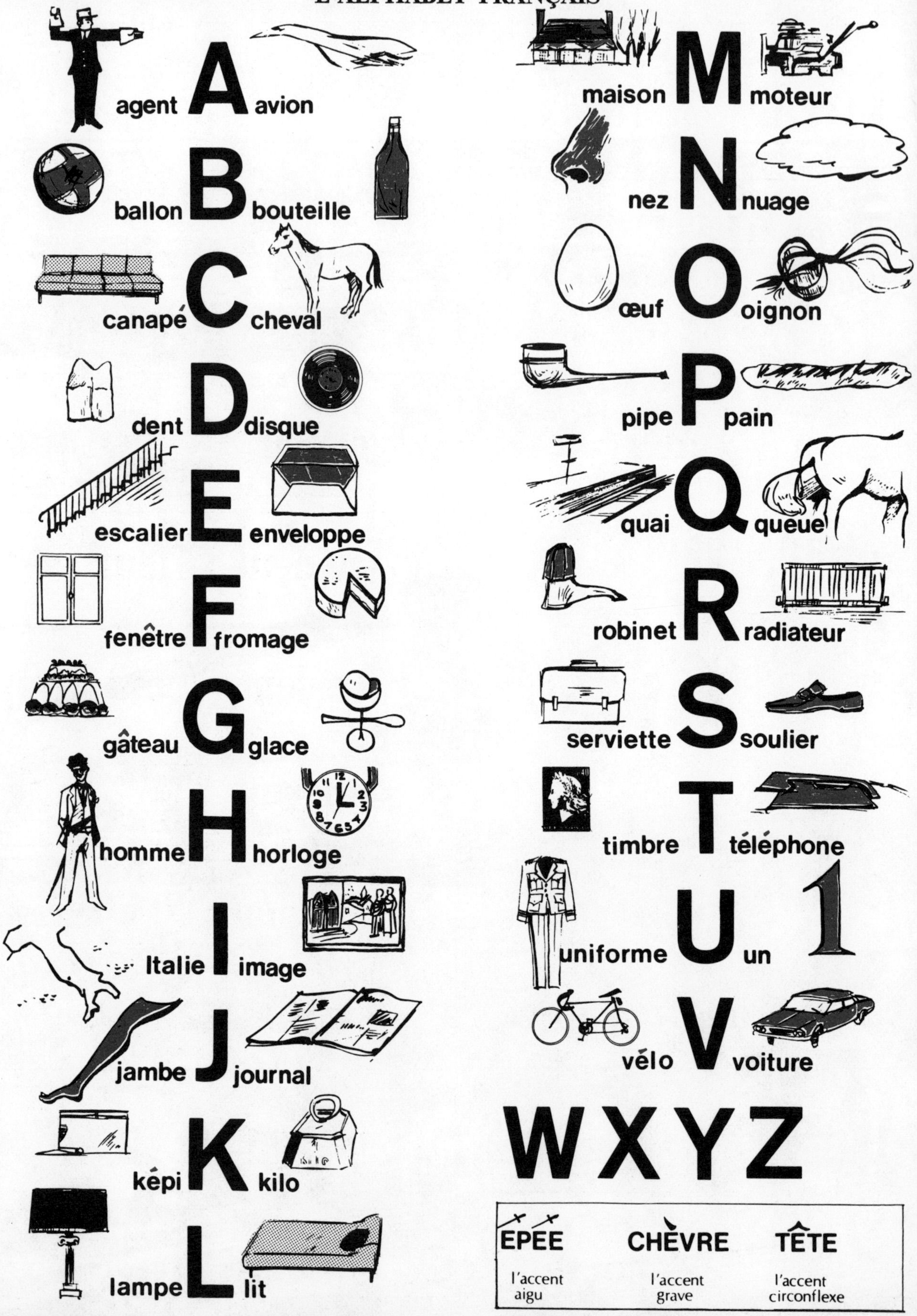
agent A avion
ballon B bouteille
canapé C cheval
dent D disque
escalier E enveloppe
fenêtre F fromage
gâteau G glace
homme H horloge
Italie I image
jambe J journal
képi K kilo
lampe L lit
maison M moteur
nez N nuage
œuf O oignon
pipe P pain
quai Q queue
robinet R radiateur
serviette S soulier
timbre T téléphone
uniforme U un
vélo V voiture
W X Y Z
ÉPÉE
CHÈVRE
TÊTE
l'accent aigu
l'accent grave
l'accent circonflexe

LE SON DES VOYELLES

i ⟨i⟩ lit  fils 

e ⟨é⟩ thé 

⟨ez⟩ nez 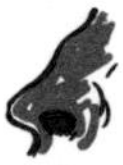

⟨er⟩ dîner 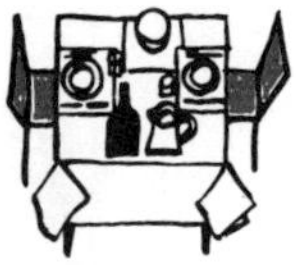

⟨ai⟩ gai 

ɛ ⟨è⟩ règle  mère 

⟨ê⟩ tête  bête 

a ⟨a⟩ chat  vache 

u ⟨ou⟩ roue  poule 

o ⟨au⟩ eau  veau 

ɔ ⟨o⟩ pomme  porte 

ɑ ⟨â⟩ âne  gâteau 

⟨as⟩ pas 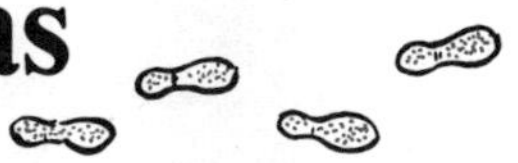

y ⟨u⟩ lune  mur 

ø ⟨eu⟩ feu  queue 

œ ⟨eu⟩ neuf 9 fleur 

ɑ̃ ⟨en⟩ dent  cent 100

⟨an⟩ banc 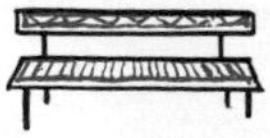 plan 

ɛ̃ ⟨ain⟩ main  pain 

⟨in⟩ fin 

cinq 5

ɔ̃ ⟨on⟩ bonbon 

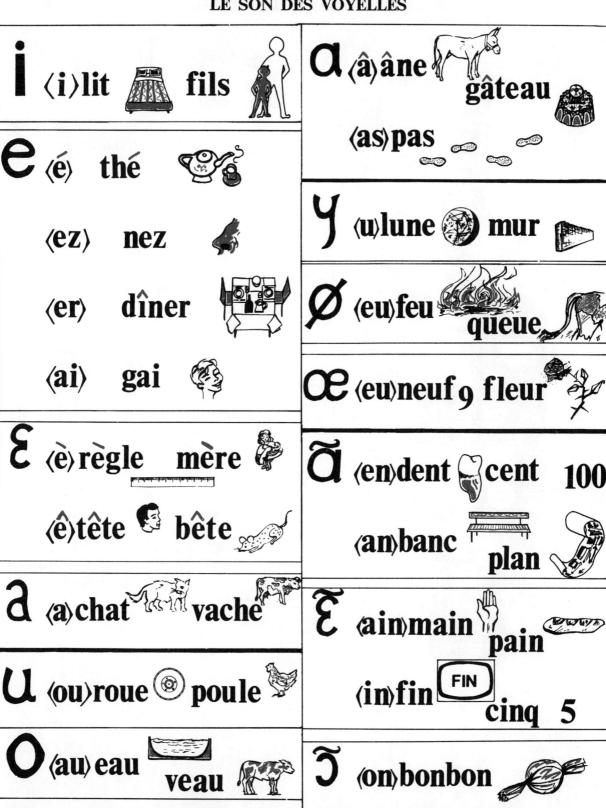

œ̃ ⟨un⟩ un 1

DANS LA SALLE DE CLASSE

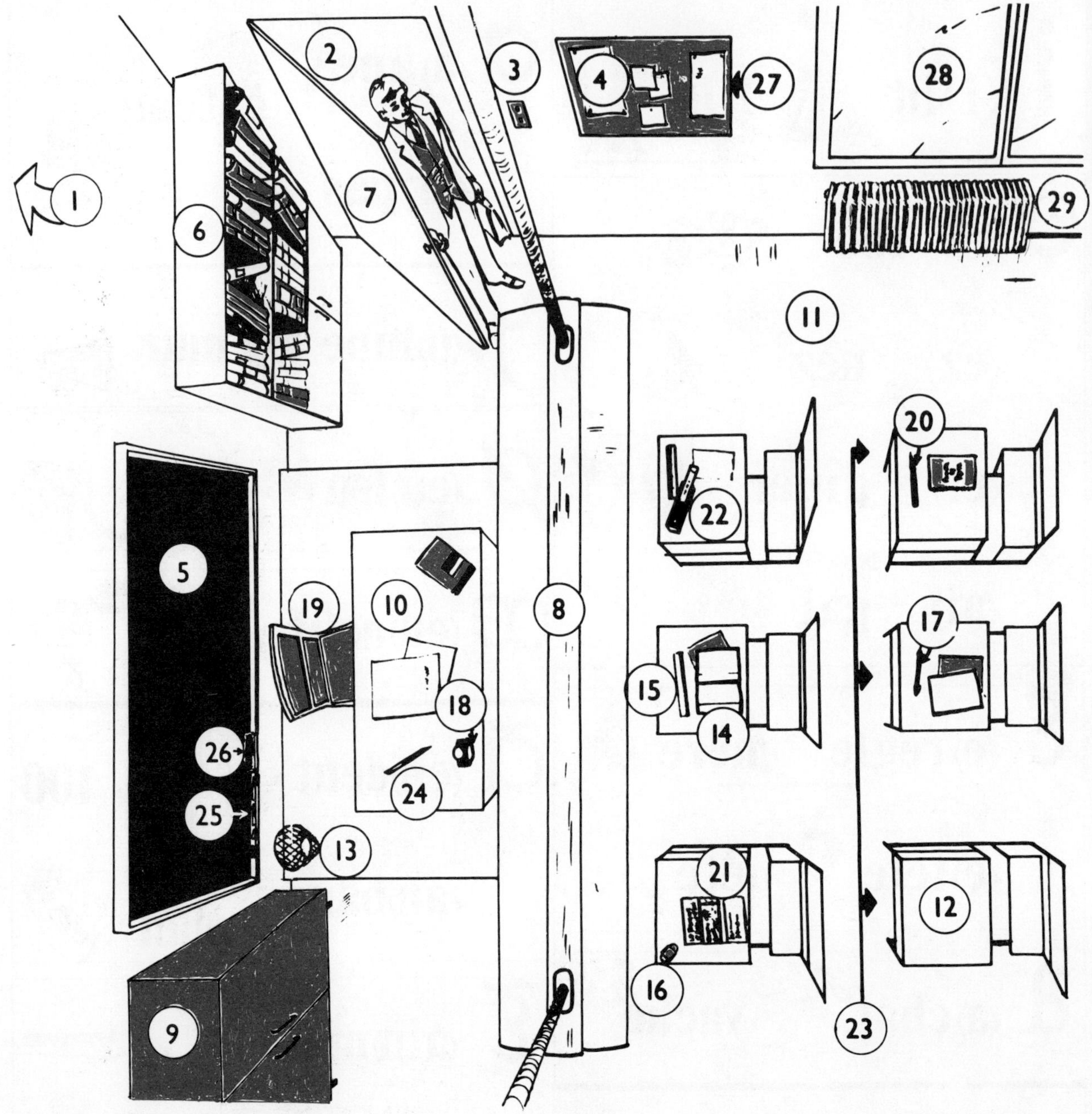

1 le plafond
2 le professeur
3 l'interrupteur
4 les règlements du collège
5 le tableau noir
6 la bibliothèque
7 la porte
8 la lampe
9 l'armoire
10 la table du professeur
11 le plancher
12 le pupitre
13 la corbeille
14 le cahier
15 la règle
16 la gomme
17 le bic
18 la bouteille d'encre
19 la chaise
20 le crayon
21 le livre de français
22 le plumier
23 le rang de pupitres
24 le stylo
25 la craie
26 le chiffon
27 le tableau d'affichage
28 la fenêtre
29 le radiateur

NOUS PARLONS EN CLASSE

LA FAMILLE BERTILLON

1. Voici la famille Bertillon—papa, maman et les trois enfants, Philippe, Marie-Claude et Alain.

2. Monsieur et Madame Bertillon sont les parents. Le père s'appelle Jean et la mère s'appelle Annette.

3. Voici les deux garçons. Le grand garçon s'appelle Philippe et le petit garçon s'appelle Alain. Philippe et Alain sont les fils de Monsieur et de Madame Bertillon et les frères de Marie-Claude.

4. La fille de Monsieur et de Madame Bertillon s'appelle Marie-Claude. Marie-Claude est la sœur de Philippe et d'Alain.

5. Et qui est-ce? C'est Miquet, le chat.

6. Voici la maison de la famille Bertillon à Villeneuve en France. Regardez le jardin, la porte, les fenêtres, la cheminée, les arbres et l'allée.

---

un arbre *tree*
le chat *cat*
un enfant *child*
le fils *son*
le frère *brother*
le garçon *boy*
le jardin *garden*
les parents *parents*
le père *father*

une allée *drive, path*
la cheminée *chimney*
la famille *family*
la fenêtre *window*
la fille *daughter*
la maison *house*
la mère *mother*
la porte *door*
la sœur *sister*

grand *big*
petit *small*

est *is*
regardez *look at*
s'appelle *is called*
sont *are*

à *at*
c'est *it is*
de *of* (**d'** *before vowel*)
deux *two*
en France *in France*
et *and*

maman *'Mummy'*
papa *'Daddy'*
qui est-ce? *who is it?*
trois *three*
voici *here is, here are*

THE

	**le** chat		chats	
	l'arbre		arbres	
	**la** porte	**les**	portes	
	l'allée		allées	

A

Voici l'arbre.

Voici les arbres.

(1)
(2)
(3)
(4)
(5)

(6)
(7)
(8)
(9)
(10)

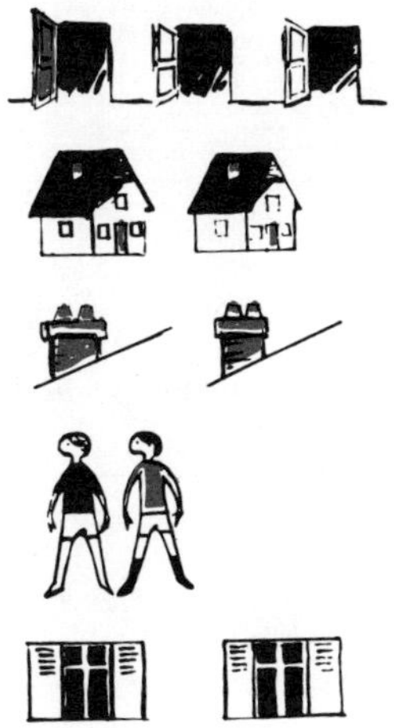

B

Voici le chat.

Voici les chats.

Complétez:

 (1) Voici l'——.

 (6) Voici les ——.

 (2) Voici le ——.

 (7) Voici les ——.

 (3) Voici la ——.

 (8) Voici les ——.

 (4) Voici l'——.

 (9) Voici les ——.

 (5) Voici la ——.

 (10) Voici les ——.

WHO IS IT?	**Qui est-ce?**
IT'S	**C'est . . .** **Ce sont . . .**

C

Qui est-ce?
C'est M. Bertillon, le père.

Complétez:

 (1) C'est —— ——, —— ——.

 (2) C'est ——, —— ——.

 (3) C'est ——, —— —— ——.

 (4) C'est ——, —— —— ——.

 (5) C'est ——, —— ——.

Qui est-ce?
Ce sont les Bertillon.

 (6) Ce sont —— ——.

 (7) Ce sont —— ——.

 (8) Ce sont —— —— de Monsieur Bertillon.

 (9) Ce sont —— ——.

 (10) Ce sont —— —— de Marie-Claude.

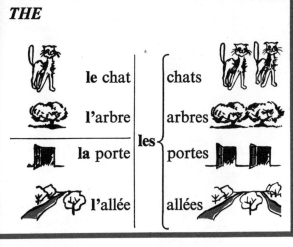

D

Philippe —— le —— de M. Bertillon.
Philippe est le fils de M. Bertillon.

Complétez:

(1) Miquet —— le —— de la famille.
(2) Philippe —— le —— de Marie-Claude.
(3) Madame Bertillon —— la —— d'Alain.
(4) Marie-Claude —— la —— de Madame Bertillon.
(5) Marie-Claude —— la —— de Philippe.

Marie-Claude et Alain sont les enfants de Madame Bertillon.

(6) M. et Mme Bertillon —— les —— de Philippe.
(7) Philippe et Alain —— les —— de la famille.
(8) Marie-Claude, Philippe et Alain —— les —— de Monsieur Bertillon.
(9) Philippe et Alain —— les —— de Marie-Claude.
(10) Alain et Philippe —— les —— de Monsieur et de Madame Bertillon.

DANS LE SALON

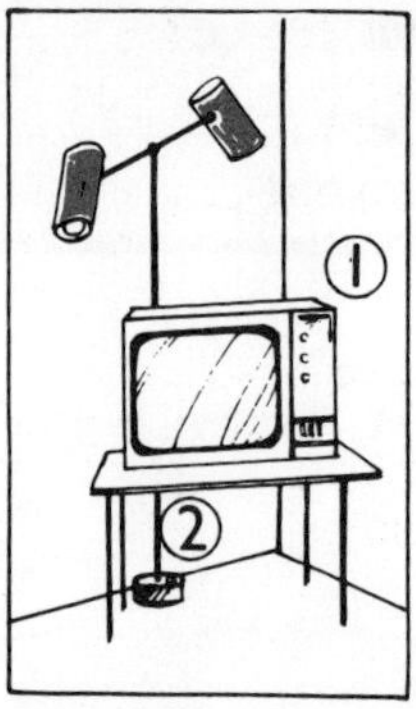

(1) Voici le poste de télévision **dans** le coin.

(2) Et voilà la lampe. Elle est **derrière** le poste de télévision.

(3) Regardez le fauteuil! Il est **devant** le feu.

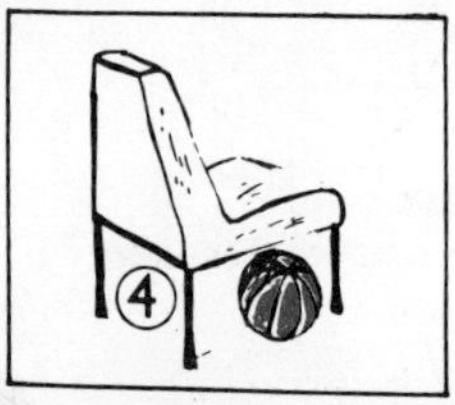

(4) Où est le ballon d'Alain? Il est **sous** la chaise.

(5) Regardez le coussin! Il es **sur** le canapé.

(6) Et voici le vase de fleur **sur** la table.

(7) La pendule est **sur** la bibliothèque.

(8) Et voici le tableau. Il est **contre** le mur.

(9) Le livre est **sur** l rayon.

HE (IT) IS; SHE (IT) IS . . .

Il est dans le salon.

Elle est dans le salon.

A  — est sur la table.
Il est sur la table.

Complétez:

 (1) —— est devant la lampe.

 (4) —— est sous la table.

 (2) —— est sur le canapé.

 (5) —— est sur la bibliothèque.

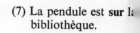

 (3) —— est dans le coin.

 (6) —— est dans le salon.

B Le vase est —— la table.
Le vase est sur la table.

Choose a suitable preposition to complete the following sentences:

(1) Le canapé est —— Marie-Claude.
(2) Le feu est —— le salon.
(3) Le mur est —— le tableau.
(4) Le poste de télévision est —— la lampe.
(5) La bibliothèque est —— la pendule.
(6) M. Bertillon est —— le fauteuil.

C ***Where is the . . .?*** ***It is . . .***

Où est le fauteuil?
Il est devant le feu.

(1) 

(3) 

(5) 

(2) 

(4) 

(6) 

le ballon *ball*
le canapé *settee, sofa*
le coin *corner*
le coussin *cushion*
le fauteuil *armchair*
le feu *fire*

le mur *wall*
le poste de télévision *T.V. set*
le rayon *shelf*
le salon *sitting-room*
le tableau *picture*
le vase de fleurs *vase of flowers*

la bibliothèque *bookcase*
la chaise *chair*
la lampe *lamp*
la pendule *clock*
la table *table*

contre *against*
dans *in*
derrière *behind*
devant *in front of*
sous *under*
sur *on*
voilà *there is, there are*

LE PREMIER AVRIL

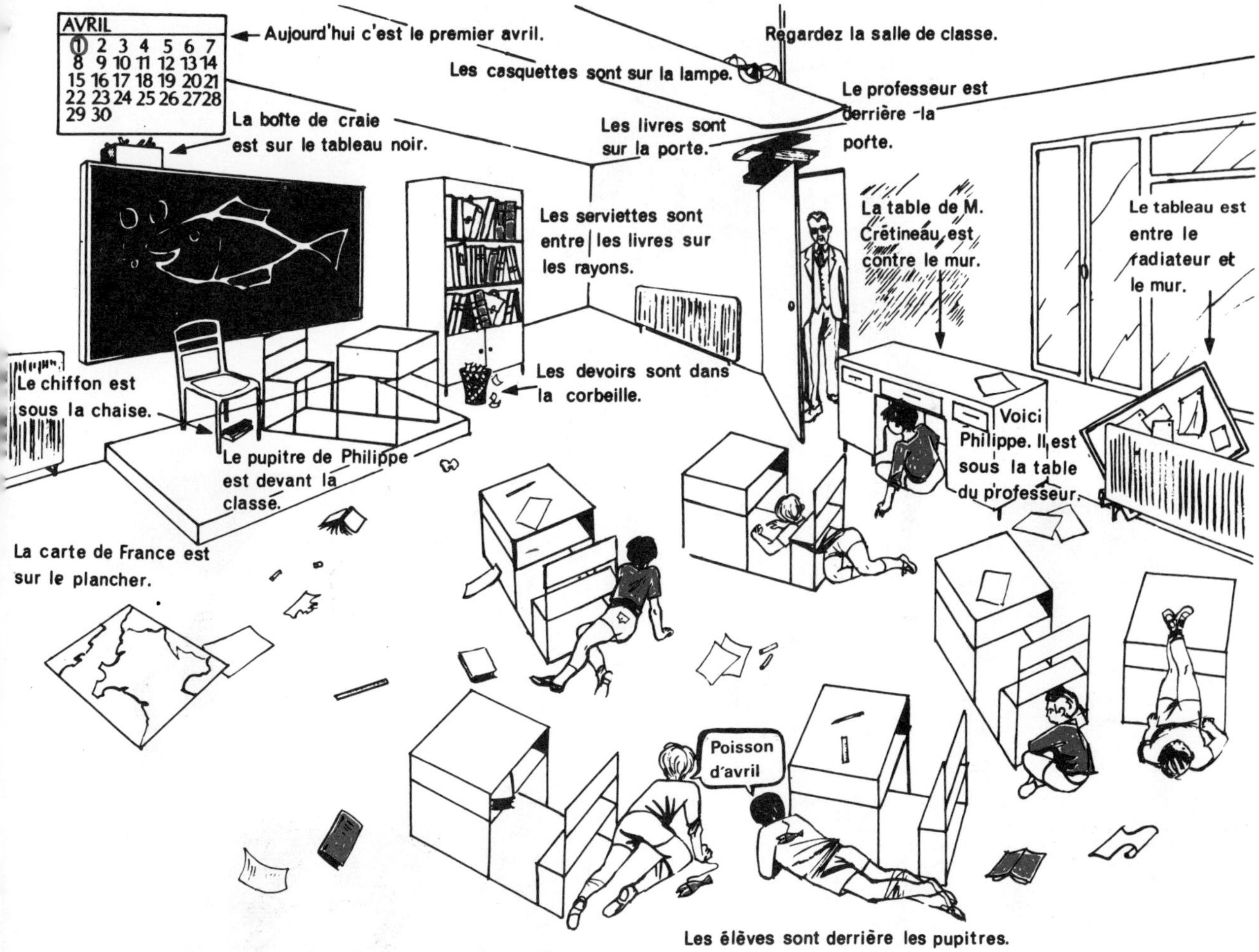
AVRIL
1 2 3 4 5 6 7
8 9 10 11 12 13 14
15 16 17 18 19 20 21
22 23 24 25 26 27 28
29 30
Aujourd'hui c'est le premier avril.
Regardez la salle de classe.
Les casquettes sont sur la lampe.
Le professeur est derrière la porte.
La boîte de craie est sur le tableau noir.
Les livres sont sur la porte.
Les serviettes sont entre les livres sur les rayons.
La table de M. Crétineau est contre le mur.
Le tableau est entre le radiateur et le mur.
Le chiffon est sous la chaise.
Les devoirs sont dans la corbeille.
Voici Philippe. Il est sous la table du professeur.
Le pupitre de Philippe est devant la classe.
La carte de France est sur le plancher.
Poisson d'avril
Les élèves sont derrière les pupitres.

THEY ARE

Ils sont dans la salle de classe.

Elles sont dans la salle de classe.

D *Where are the . . .? They are . . .*

Où sont les devoirs?
Ils sont dans la corbeille.

(1) 

(2) 

(3) 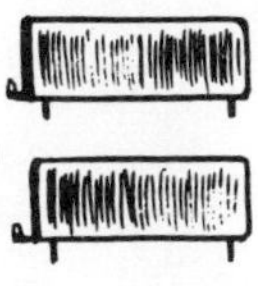

(4) 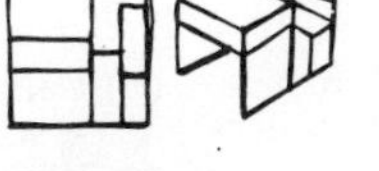

(5) 

E

Où est le professeur?
Il est derrière la porte.

Répondez:

(1) Où est la carte?
(2) Où est le pupitre de Philippe?
(3) Où est la corbeille?
(4) Où est la craie?
(5) Où est la table?

F **Dans votre (*your*) salle de classe aujourd'hui . . .**

(1) Où est la table de Monsieur X?
(2) Où est le chiffon?
(3) Où est le professeur?
(4) Où est la boîte de craie?
(5) Où est la corbeille?
(6) Où sont les élèves?
(7) Où sont les serviettes?
(8) Où sont les pupitres?
(9) Où sont les radiateurs?
(10) Où sont les livres de français?

---

le devoir *homework*
un élève *pupil*
le livre de français *French book*
le plancher *floor*
le professeur *teacher*
le pupitre *(pupil's) desk*
le radiateur *radiator*
le tableau noir *blackboard*
la boîte de craie *box of chalk*
la carte *map*
la casquette *cap*
la classe *class*
la corbeille *(wastepaper) basket*
la salle de classe *classroom*
la serviette *brief-case*
aujourd'hui *today*
entre *between*
poisson d'avril! *April fool!*
le premier avril *April 1st*

LA MAISON BERTILLON I

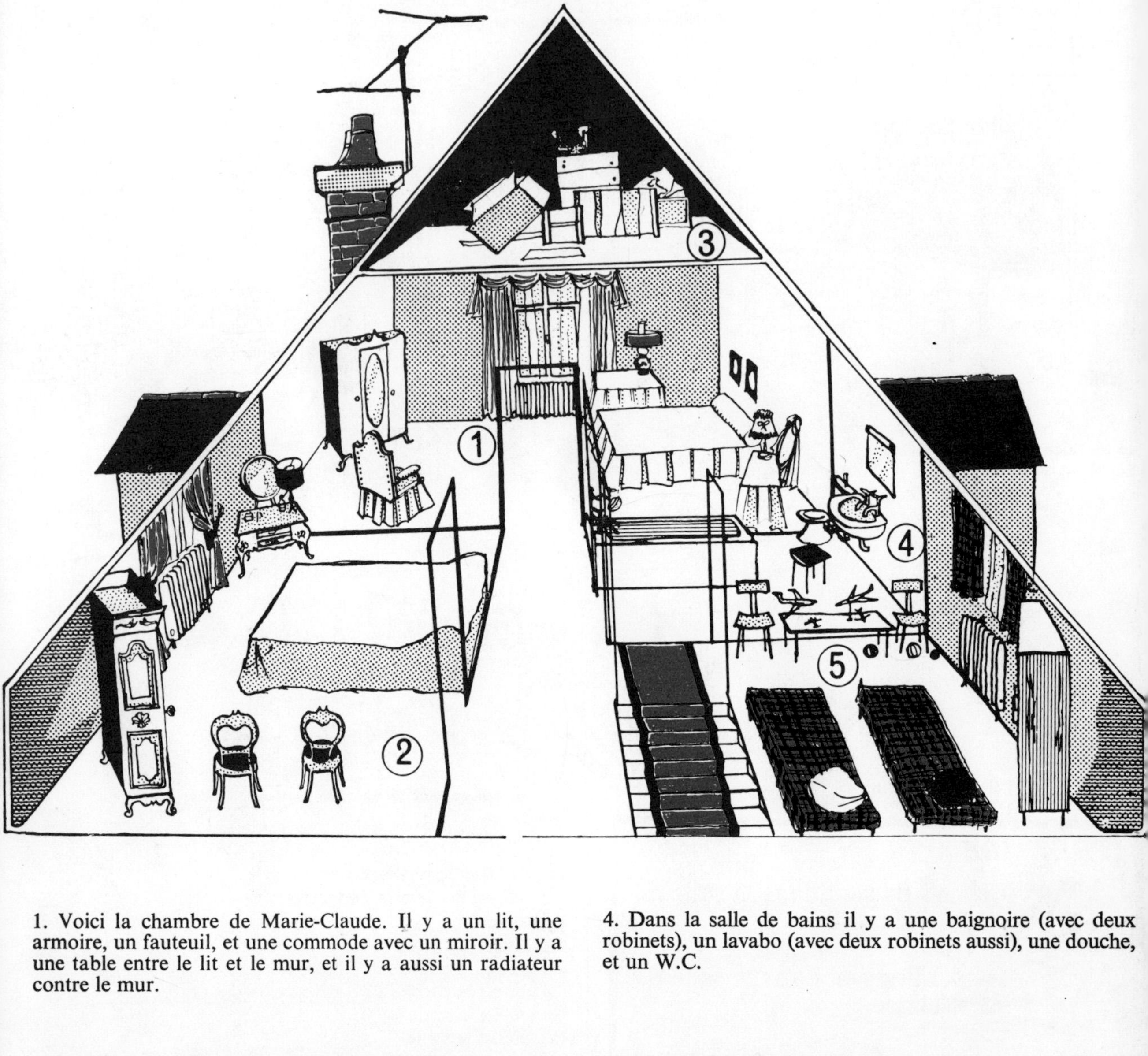

1. Voici la chambre de Marie-Claude. Il y a un lit, une armoire, un fauteuil, et une commode avec un miroir. Il y a une table entre le lit et le mur, et il y a aussi un radiateur contre le mur.

2. Regardez maintenant la chambre de Monsieur et de Madame Bertillon. Il y a un lit, une armoire, deux chaises, un radiateur, une commode et un miroir (c'est pour Madame Bertillon, naturellement).

3. Voici le toit. Sous le toit il y a un grenier. Dans le grenier il y a des boîtes.

4. Dans la salle de bains il y a une baignoire (avec deux robinets), un lavabo (avec deux robinets aussi), une douche, et un W.C.

5. Voici la chambre de Philippe et d'Alain. Il y a deux lits, deux chaises, une table et une armoire. Regardez les ballons dans le coin et les avions sur la table.

6. C'est le premier étage. Regardez le rez-de-chaussée et la cave à la page seize.

---

un avion *aeroplane*
un escalier *staircase*
le grenier *attic*
le lavabo *wash-basin*
le lit *bed*
le miroir *mirror*
le premier étage *first floor*
le rez-de-chaussée *ground floor*
le robinet *tap*
le toit *roof*
le W.C. *lavatory*
une armoire *wardrobe*
la baignoire *bath*
la boîte *box, tin*
la cave *cellar*
la chambre *bedroom*
la commode *chest of drawers*
la douche *shower*
la salle de bains *bathroom*
aussi *also*
avec *with*
il y a *there is, there are*
maintenant *now*
naturellement *of course*
pour *for*
y a-t-il? *is there, are there?*

A, AN		SOME, ANY	
un	étage	des	étages
	lit		lits
une	armoire		armoires
	chaise		chaises

WHAT IS IT? WHAT ARE THEY?
QU'EST-CE QUE C'EST?

A **Complétez avec un, une ou des:**

(1) Dans le grenier il y a —— boîtes.
(2) Sur le toit il y a —— cheminée.
(3) À la page 16 il y a —— rez-de-chaussée et —— cave.
(4) Dans la salle de bains il y a —— robinets et —— baignoire.
(5) Dans la chambre de papa il y a —— lit et —— chaises.
(6) Dans la chambre de Philippe il y a —— table et —— armoire.
(7) Sous le toit il y a —— grenier.
(8) Il y a —— armoire et —— fauteuil dans la chambre de Marie-Claude.
(9) Dans la maison Bertillon il y a —— escalier et —— salle de bains.
(10) Il y a —— douche, —— W.C. et —— lavabo dans la salle de bains.

B

Draw a plan of the top storey of your own home in pencil or crayon. Label ten objects in it in ink. Put* un*, or* une*, or* des *in front of the French name of each object you label.

C

C'est une pendule.

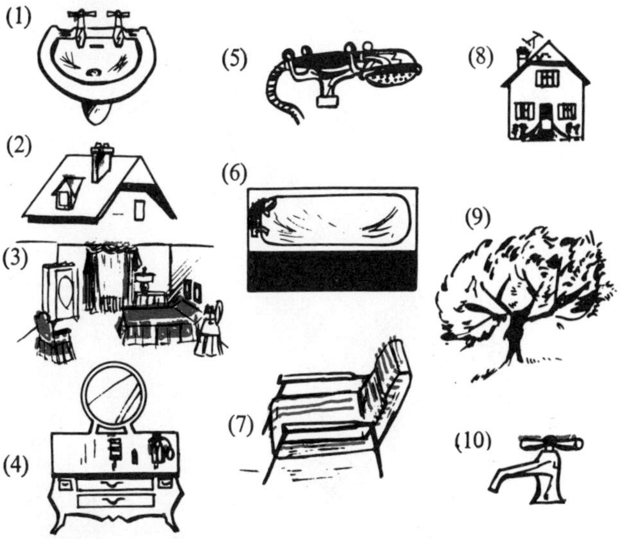

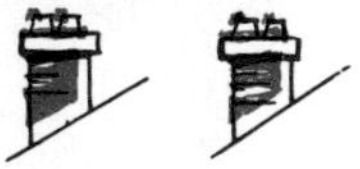

Ce sont des cheminées.

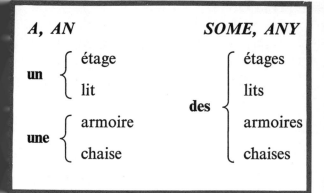

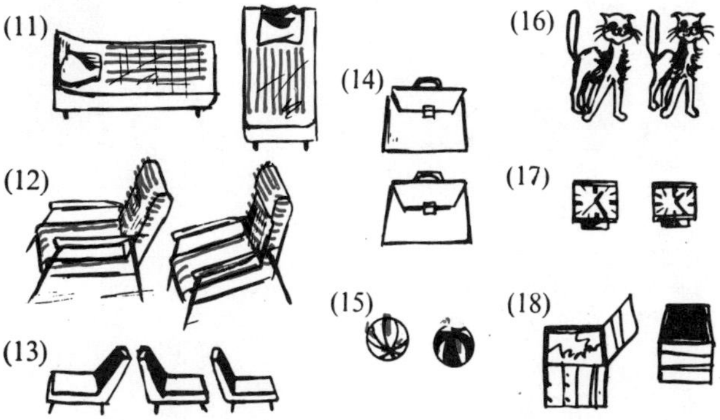

MOTS-CROISÉS

Here is a French crossword. All the clues for each column are given opposite the column number in the lists of clues. The thicker lines are stop lines. If there is no clue between any two stop lines, this is shown by a dash.

Horizontalement
(1) Dans la chambre de Marie-Claude.
(2) ——; Alain est le . . . de Philippe; ——.
(3) Il y a un . . . dans le jardin; ——; ——.
(4) ——; ——; la salle . . . bains; un lit, . . . lits.
(5) ——; il . . .; . . . commode; ——; ——.
(6) Dans la salle de bains.
(7) . . . France; des . . . de fleurs.

Verticalement
(1) La . . . de Marie-Claude.
(2) ——; ——; des livres sur un . . .
(3) *Short man; no other clues.*
(4) Mme B. est la . . .; ——; ——; ——.
(5) ——; ——; ——; il y a des boîtes . . . le grenier.
(6) une salle . . . classe; M. B. est le . . .; ——.
(7) ——; Sur la table il y a un . . .; ——; ——.

	I	II	III	IV	V	VI	VII
1	C	O	M	M	O	D	E
2	H	F	R	E	R	E	V
3	A	R	B	R	E	P	A
4	M	A	D	E	D	E	S
5	B	Y	A	L	A	R	E
6	R	O	B	I	N	E	T
7	E	N	V	A	S	E	S

LA MAISON BERTILLON II

1. Et voici maintenant le rez-de-chaussée et la cave.

2. Regardez la cuisine de Madame Bertillon. Il y a une table et six chaises, une cuisinière, un frigo, une machine à laver, une chaudière et un évier (avec deux robinets).

4. Le téléphone est sur une table dans le vestibule.

5. Voici le garage. Regardez le scooter de Monsieur Bertillon et les vélos des enfants.

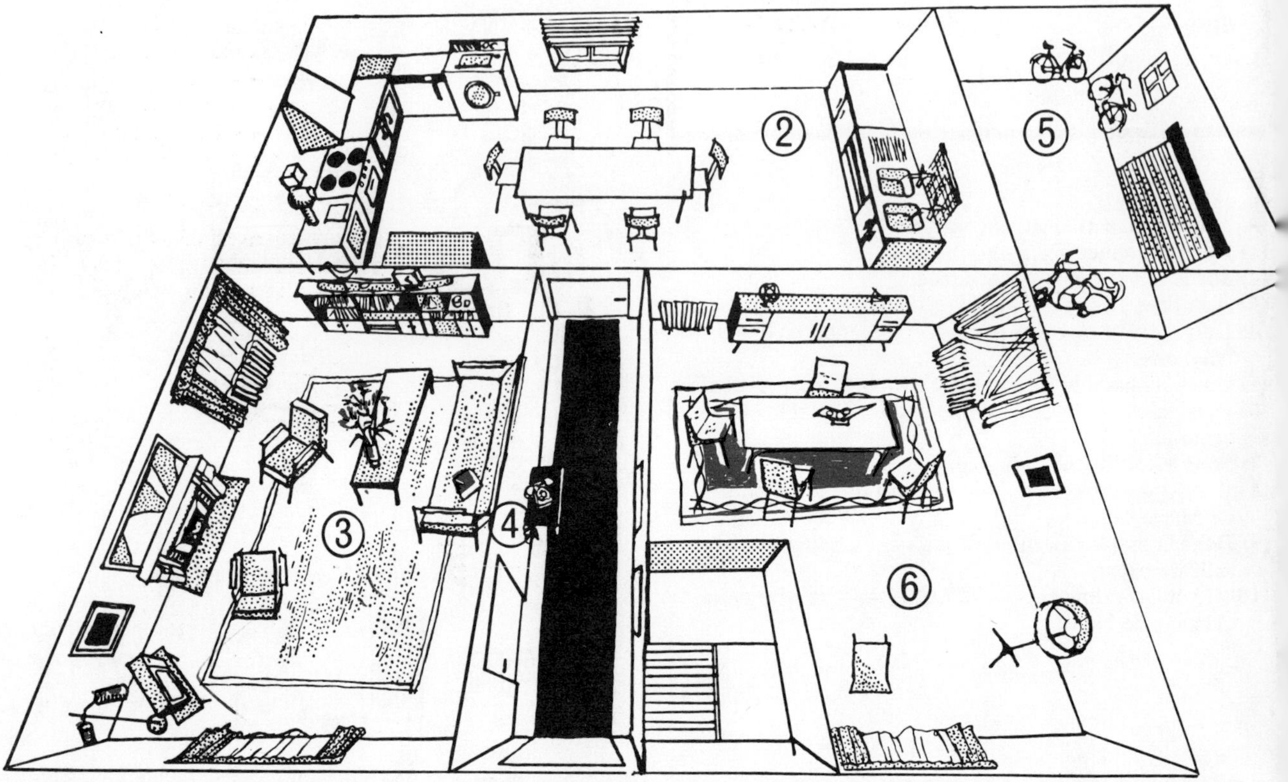

3. Dans le salon il y a une cheminée, un radiateur, un poste de télévision dans le coin, une lampe, deux fauteuils, un canapé, une table, des livres dans une bibliothèque, un tableau contre le mur et une pendule. Il y a aussi un tapis sur le plancher.

6. C'est la salle à manger. Il y a une table, cinq chaises, un buffet, deux radiateurs, et une lampe. Il y a naturellement un tapis sur le plancher.

7. Dans la cave il y a vingt bouteilles. Ce sont naturellement des bouteilles de vin. Il y a aussi le charbon et le bois pour le feu.

le bois *wood*
le buffet *sideboard*
le charbon *coal*
un escalier *staircase*
un évier *sink*
le frigo *fridge*
le garage *garage*
le scooter *scooter*
le tapis *carpet*
le téléphone *telephone*
le vélo *bike*
le vestibule *hall*
la bouteille de vin *bottle of wine*
la chaudière *boiler*
la cheminée *fireplace*
la cuisine *kitchen*
la cuisinière *cooker*
la machine à laver *washing machine*
la salle à manger *dining room*

0 zéro

1	un / une	11	onze
2	deux	12	douze
3	trois	13	treize
4	quatre	14	quatorze
5	cinq	15	quinze
6	six	16	seize
7	sept	17	dix-sept
8	huit	18	dix-huit
9	neuf	19	dix-neuf
10	dix	20	vingt

Combien de? *(How many?)*

A Combien de fauteuils y a-t-il dans le salon?
Il y a deux fauteuils dans le salon.

Répondez:
(1) Combien de tables y a-t-il dans la salle à manger?
(2) Combien de canapés y a-t-il dans le salon?
(3) Combien de robinets y a-t-il dans la cuisine?
(4) Combien de frigos y a-t-il dans la maison Bertillon?
(5) Combien de chaises y a-t-il dans la cuisine?
(6) Combien de chaises y a-t-il dans la salle à manger?
(7) Combien de scooters y a-t-il dans le garage?
(8) Combien de tables y a-t-il dans la cuisine?
(9) Combien de bouteilles y a-t-il dans la cave?
(10) Combien de fenêtres y a-t-il dans le salon?

Chez vous *(In your home)*

B Combien de vélos y a-t-il chez vous?
Chez nous (*in our house*) il y a trois vélos.

Répondez:
(1) Combien de chaises y a-t-il chez vous dans la cuisine?
(2) Combien de canapés y a-t-il chez vous dans le salon?
(3) Combien de chambres y a-t-il chez vous?
(4) Combien d'éviers y a-t-il chez vous dans la cuisine?
(5) Combien de buffets y a-t-il dans la salle à manger?
(6) Combien de lits y a-t-il dans la chambre de papa et de maman?
(7) Combien de lampes y a-t-il dans le salon?
(8) Combien de baignoires y a-t-il dans la salle de bains?
(9) Combien de robinets y a-t-il dans la salle de bains?
(10) Combien de commodes y a-t-il dans les chambres?

$3 + 5 = 8$
Trois et cinq font huit

C

(1)	$5 + 7 = 12$	(6)	$10 + 3 = 13$
(2)	$6 + 9 = 15$	(7)	$11 + 8 = 19$
(3)	$4 + 5 = 9$	(8)	$8 + 7 = 15$
(4)	$1 + 15 = 16$	(9)	$6 + 12 = 18$
(5)	$8 + 9 = 17$	(10)	$20 + 0 = 20$

D **QU'EST-CE QUE C'EST?**
Ce sont . . .

(1)

(3)

(5)

(2)

(4)
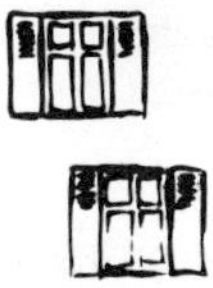
(6)

«CHEZ NOUS IL Y A . . .»

This is a memory game for the whole class. The pupil who begins says, «Chez nous il y a . . .» ***and adds some article of furniture in his own home (e.g.*** 16 chaises***). The next pupil repeats what has been said and adds another article (e.g.*** et 9 fauteuils***). And so on round the form. The teacher keeps a written record of the lists of objects. Any mistake means the speaker is out.***

You can play so that the last pupil left in is the individual form champion; or so that the section that has fewest pupils eliminated is the winning section.

LA FAMILLE TRAVAILLE

1. Aujourd'hui, entrons dans la maison Bertillon. Ah, voici M. Bertillon—il travaille dans le garage. Que fait-il? Il répare le scooter.

2. Entrons dans la cuisine. Mme Bertillon prépare le repas. Elle pose les casseroles sur la cuisinière. Elle aime travailler dans la cuisine.

3 Voici Marie-Claude. Elle ouvre la porte et entre dans la cuisine.

4. Marie-Claude lave les bols pour Mme Bertillon et puis Mme Bertillon pose les bols dans le placard contre le mur. La mère et la fille travaillent bien ensemble. Mais . . . où est Philippe? Est-ce qu'il travaille?

5. Ah non! Il joue dans le jardin avec un ballon. Les garçons aiment toujours le football. Philippe joue bien, mais . . . attention à la fenêtre!

6. Où est Alain? Il est dans une chambre. Que fait-il? Il dessine avec des crayons. Il dessine une maison et des arbres, mais le méchant garçon dessine . . . sur le livre de Philippe.

7. Voici Miquet. Est-ce qu'il travaille? Mais non! Il cherche une soucoupe de lait. Dans la chambre? Non! Dans le salon? Non! Mais où? Il trouve le lait dans la cuisine, naturellement! Maintenant Miquet est content.

---

le bol *bowl*
le crayon *pencil*
le football *football*
le lait *milk*
le placard *wall cupboard*
le repas *meal*

la casserole *saucepan*
la soucoupe *saucer*

---

content *pleased*
méchant *naughty*

aimer *to like*
arriver *to arrive*
chercher *to look for*
dessiner *to draw*
entrer dans *to enter*
jouer *to play*
laver *to wash*
ouvrir *to open* (*present tense follows same pattern as* travailler, *i.e.* j'ouvre, tu ouvres, etc.)
poser *to put*
préparer *to prepare*
regarder *to look at*
réparer *to repair*
travailler *to work*

attention à la fenêtre! *mind the window!*
bien *well*
ensemble *together*
mais *but*
non *no*
oui *yes*
puis *then*
que fait-il? *what is he doing?*
que fait-elle? *what is she doing?*
toujours *always*

-ER *VERBS*

Je **travaille: j'aime** travailler, maman.

Philippe, **tu travailles: tu répares** le vélo.

Papa **travaille: il répare** le scooter.

Maman **travaille: elle prépare** le repas.

Nous travaillons: nous lavons les bols.

Bonjour, Madame Bertillon. **Vous travaillez: vous préparez** le repas.

Papa et Marie-Claude **travaillent: ils réparent** le scooter

Maman et Marie-Claude **travaillent: elles lavent** les casseroles.

A **Complétez:**

(1) M. Bertillon —— dans le garage. **(entrer)**
(2) Nous —— Madame Bertillon dans la cuisine. **(regarder)**
(3) Il —— les soucoupes dans le placard. **(poser)**
(4) Tu —— bien, Alain. **(dessiner)**
(5) J' —— dans la salle à manger. **(arriver)**
(6) Vous —— dans le jardin, Alain et Philippe. **(travailler)**
(7) Maman et Marie-Claude —— les bols sur la table. **(poser)**
(8) Elle —— le repas dans la cuisine. **(préparer)**

B

Elle pose les bols dans le placard.

(1) 

(2) 

(3) 

(4) 

(5) 

(6) 

(7) 

(8) 

HOW TO TELL SOMEONE TO DO SOMETHING

Alain, **cherche** Miquet!

Cherchons Miquet, les enfants!

Alain et Philippe, **cherchez** Miquet!

C ***Turn into commands:***

(1) Tu cherches le chat.
(2) Tu dessines le tableau.
(3) Nous regardons la maison.
(4) Vous entrez dans le salon.
(5) Tu répares la fenêtre.
(6) Vous regardez les bols.
(7) Nous aimons les enfants.
(8) Vous aimez le professeur.

HOW TO ASK A QUESTION

Papa demande: (*asks*).	«**Est-ce que** je travaille aujourd'hui?»
Où est Philippe?	**Est-ce qu'**il est dans le jardin?
Où est Marie-Claude?	**Est-ce qu'**elle est dans la cuisine?
Où sont les deux garçons?	**Est-ce qu'**ils sont dans la maison?
Où sont Maman et Marie-Claude?	**Est-ce qu'**elles lavent les casseroles?

D ***Turn into questions by using* Est-ce que (qu'):**

(1) Ils travaillent.
(2) Alain entre dans le salon.
(3) Je pose les bols sur le buffet.
(4) Nous aimons les chats.
(5) Elle aime travailler.
(6) Philippe joue avec un ballon.
(7) Le scooter est dans le garage.
(8) Il y a une chaudière dans la cuisine.
(9) Elles préparent le repas.
(10) Il ouvre la boîte.

UNE LETTRE CIRCULAIRE

1. Aujourd'hui Philippe et Marie-Claude quittent la maison et dans la rue ils rencontrent le facteur. Il s'appelle M. Lacaze et il porte une sacoche où il y a beaucoup de lettres et de paquets. Il compte les lettres pour la famille Bertillon. Il y a cinq lettres pour papa et un paquet pour maman.

2. Quelle surprise! Il y a une lettre pour M. Colin, 59 ru de Paris, Villeneuve. Qui est-ce? C'est le jardinier—i travaille dans le parc. Les enfants marchent vers le parc e cherchent M. Colin.

3. En route ils rencontrent M. Leroy, l'agent de police. Il est dans la rue parmi les voitures, les vélos et les camions. C'est un ami de M. Bertillon et il aide les deux enfants à trouver M. Colin.

4. Enfin ils trouvent M. Colin dans le jardin où il travaill parmi les arbres et les fleurs. Il regarde la lettre mais c'es une lettre pour l'autre M. Colin, le charbonnier.

5. Maintenant Philippe et Marie-Claude cherchent partout le charbonnier. Naturellement, ils cherchent le grand camion où il y a beaucoup de sacs de charbon. Encore une fois l'agent de police aide les enfants. Il montre un grand camion—c'est probablement le camion de M. Colin.

6. Enfin les enfants trouvent M. Colin le charbonnier. Quand les enfants donnent la lettre à M. Colin, il est très content et il remercie Philippe et Marie Claude. Et où sommes-nous? Devant la maison Bertillon encore une fois!

---

un agent de police *policeman*
un ami *friend*
le camion *lorry*
le charbonnier *coalman*
le facteur *postman*
le jardinier *gardener*
le paquet *packet*
le parc *park*
le sac *sack, bag*

la fleur *flower*
la lettre *letter*
la rue *street*
la sacoche *postman's bag*
la voiture *car*

autre *other*
certain *certain*
circulaire *circular*

aider *to help*
compter *to count*
donner *to give*

être *to be* (regardez page 21)
montrer *to point to*
marcher *to walk*
porter *to carry*
quitter *to leave*
remercier *to thank*
rencontrer *to meet*
trouver *to find*

beaucoup de *a lot of*
bravo! *well done*
c'est vrai *that's right, that's true*
combien de *how many*
encore une fois! *once again*
enfin *at last*
en route *on the way*
là-bas *over there*

merci! *thank you!*
pardon! *excuse me!*
parmi *among*
partout *everywhere*
probablement *probably*
quand *when*
quelle surprise! *what a surprise!*
vers *towards*

ÊTRE—*(to be)*

Je suis le charbonnier.

Ah, **tu es** Marie-Claude.

Il est dans la rue.

Elle est parmi les fleurs.

Le jardinier **est** dans le parc.

Nous sommes en route pour le parc.

Vous êtes les enfants Bertillon.

Ils sont devant la maison.

Elles sont dans la sacoche.

Les voitures **sont** dans la rue.

A Elles —— dans la rue.
Elles sont dans la rue.

Complétez avec le verbe être:

(1) Nous —— les enfants de M. Bertillon.
(2) Le charbonnier —— l'autre M. Colin.
(3) Vous —— dans le salon.
(4) C'—— l'ami d'Alain.
(5) Marie-Claude et Philippe —— dans le parc.
(6) Marie-Claude et Madame Bertillon —— devant la maison.
(7) Elle —— la fille de M. Lacaze.
(8) Tu —— le fils de Madame Colin.
(9) Ils —— derrière le buffet.
(10) Je —— le facteur.

LES NOMBRES DE 20 À 69

20 vingt	**30 trente**
21 vingt et un(e)	**31 trente et un(e)**
22 vingt-deux	**32 trente-deux**
23 vingt-trois	
24 vingt-quatre	**40 quarante**
25 vingt-cinq	
26 vingt-six	**50 cinquante**
27 vingt-sept	
28 vingt-huit	**60 soixante**
29 vingt-neuf	

B **Calculez:**

(1) 19 +19 = ——
(2) 20 + 9 = ——
(3) 14 + 0 = ——
(4) 60 + 9 = ——
(5) 50 +11 = ——
(6) 62 + 2 = ——
(7) 31 +21 = ——
(8) 27 +19 = ——
(9) 17 +39 = ——
(10) 48 +20 = ——

C ÊTES-VOUS INTELLIGENTS?

Complétez la série:

(1) 19, 26, 35, 46, ?
(2) 2, 5, 11, 23, ?
(3) 9, 17, 33, ?
(4) 19, 28, 36, 42, 44, ?
(5) 19, 29, 40, 44, ?

JOUONS AU LOTO! *(Let's play bingo!)*

(1) *Draw your own card in your exercise book. Draw 15 squares and put any number from 1 to 69 on them. Write them in ascending order from left to right.*
(2) *As the numbers are called out, cross them out if they occur on your card.*

MONSIEUR ET MADAME BERTILLON

1. Jean Bertillon, le mari d'Annette et le père des trois enfants, travaille à Orly, le grand aéroport de Paris.

2. C'est un douanier. Quand les voyageurs arrivent, Monsieur Bertillon pose des questions. Il ouvre souvent les valises et trouve des montres, des pendules et quelquefois des bouteilles de whisky!

3. Quand il travaille à Orly, M. Bertillon porte un képi noir, rouge et blanc, une chemise blanche, une cravate noire, un uniforme bleu et des souliers noirs.

4. Il arrive à Orly en scooter.

5. Quand il est à la maison, il travaille souvent dans le jardin. Là il est content car il aime les arbres et les jolies fleurs. M. Bertillon est un homme sévère quelquefois mais avec la famille il est gai et souriant ... sauf quand les enfants sont méchants.

1. Annette, la femme de Jean Bertillon, est une dame charmante. Elle est souvent gaie, mais elle est sévère aussi quand les enfants sont méchants.

2. Quand elle travaille dan la maison, elle porte u foulard rouge, une rob grise et un tablier rouge Elle porte aussi des soulier blancs.

3. Elle travaille dur. Par exemple—

elle prépare les repas pour la famille;

elle lave les vêtements sales

4. Quelquefois elle aide la tante Marguerite dans la petite boutique.

5. Quand est-ce que Mme Bertillon es contente?

Quand les enfants sont couchés.

---

un aéroport *airport*
le douanier *customs officer*
le foulard *headscarf*
le képi *peaked cap*
le mari *husband*
le soulier *shoe*
le tablier *apron*
un uniforme *uniform*
les vêtements *clothes*
le voyageur *traveller*

la boutique *shop*
la chemise *shirt*
la cravate *tie*
la dame *lady*
la femme *wife*
la montre *watch*
la question *question*
la robe *dress*
la tante *aunt*
la valise *suitcase*

blanc (blanche) *white*
bleu *blue*
charmant *charming*
couché *in bed*
gai *gay*
gris *grey*
jaune *yellow*
joli *pretty*
noir *black*
rouge *red*

poser une question *to ask a question*
travailler dur *to work hard*

sale *dirty*
sévère *strict*
souriant *smiling, cheerful*

car *for, because*
De quelle couleur . . .? *What colour . . .?*
là *there*
par exemple *e.g.*
quelquefois *sometimes*
sauf *except*
souvent *often*

AGREEMENT OF ADJECTIVES

Le foulard } est rouge et **noir.**
La robe } est rouge et **noire.**

Les foulards } sont rouges et **noirs.**
Les robes } sont rouges et **noires.**

A FEW ADJECTIVES COME IN FRONT OF THE NOUN

Un **grand** homme

Une **jolie** fille

Les **méchants** garçons

Le **petit** soulier.

A Complétez:

1) Les douaniers sont ——(**sévère**).
2) Le tablier est ——(**sale**).
3) Les chemises sont ——(**jaune**).
4) Beaucoup de foulards sont ——(**rouge**).
5) Voici un soulier —— (**noir**).
6) C'est une femme —— (**charmant**).
7) Les valises sont —— (**gris**).
8) Marie-Claude est une fillette —— (**gai**).
9) L'uniforme de M. Bertillon est —— (**bleu**).
10) Les images sont —— (**joli**).

B ***Write out this story, picking the one correct version of the adjective:***

M. Bertillon est le père de trois (**petit, petite, petits, petites**) nfants. Philippe et Alain sont (**charmant, charmante, harmants, charmantes**) mais Marie-Claude est (**méchant, néchante, méchants, méchantes**). Papa est (**sévère, sévères**) quand il travaille mais (**souriant, souriante, souriants, ouriantes**) quand il est avec les enfants. Souvent les enfants ont (**méchant, méchante, méchants, méchantes**). Mme Bertillon est toujours (**souriant, souriante, souriants, souriantes**) et (**gai, gaie, gais, gaies**). Le tablier de maman st (**bleu, bleue, bleus, bleues**) et les souliers de maman sont **noir, noire, noirs, noires**). Quand la maison est (**sale, sales**), maman travaille dur. Elle prépare les repas dans la (**joli, olie, jolis, jolies**) cuisine et lave les vêtements (**sale, sales**).

C ***Put the adjectives in their correct place:***

(1) C'est un tablier (**petit, bleu**).
(2) C'est une maison (**blanche, jolie**).
(3) C'est un chat (**méchant, noir**).
(4) Voilà les femmes (**sévères, grandes**).
(5) Je suis un garçon (**sale, petit**).

D **Parlons** ***(let's talk)*** **de votre uniforme scolaire:**

(1) De quelle couleur est la cravate?
(2) De quelle couleur est le veston?
(3) De quelle couleur est le pull-over?
(4) De quelle couleur sont les souliers?
(5) De quelle couleur est l'écusson?
(6) De quelle couleur est la chemise?
(7) De quelle couleur est la culotte (ou la jupe)?
(8) De quelle couleur est la casquette (ou le chapeau)?
(9) De quelle couleur sont les chaussettes (ou les bas)?
(10) Est-ce que vous aimez votre uniforme?

VOICI UNE ÉLÈVE ET UN ÉLÈVE ANGLAIS. ILS PORTENT L'UNIFORME SCOLAIRE.

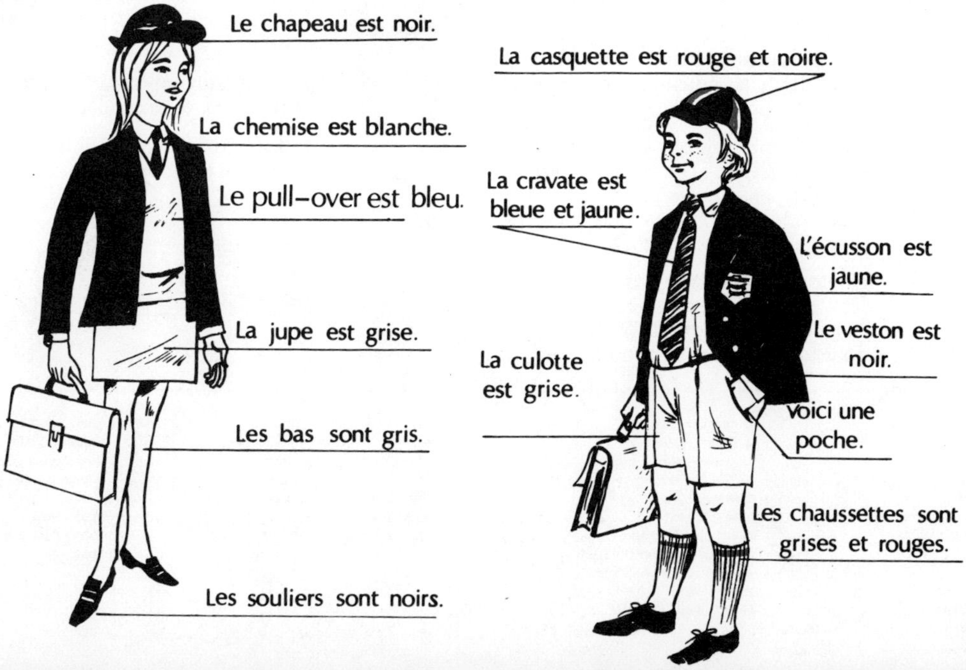
Le chapeau est noir.
La chemise est blanche.
Le pull-over est bleu.
La jupe est grise.
Les bas sont gris.
Les souliers sont noirs.
La casquette est rouge et noire.
La cravate est bleue et jaune.
L'écusson est jaune.
Le veston est noir.
La culotte est grise.
Voici une poche.
Les chaussettes sont grises et rouges.

UN ARBRE GÉNÉALOGIQUE

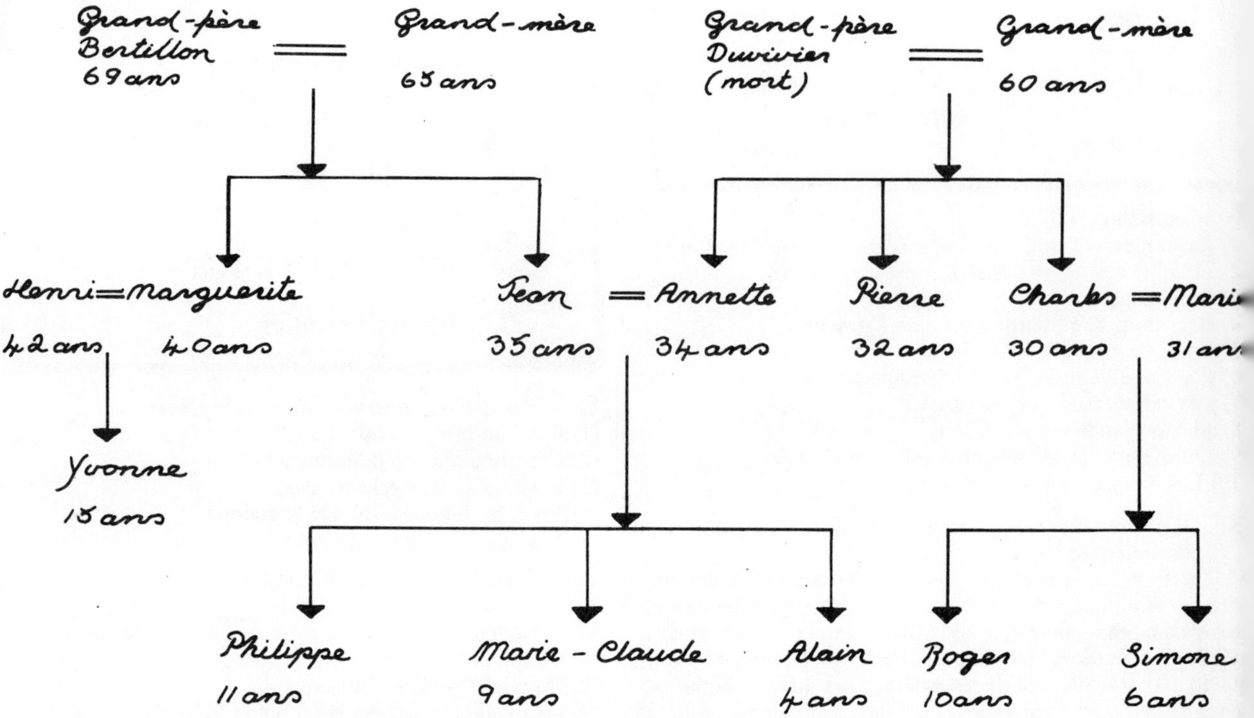

1. Voici l'arbre généalogique de la famille de papa et de maman. Nous avons une très grande famille, n'est-ce pas?

J'ai trois oncles (Henri, Pierre et Charles) et deux tantes (Marguerite et Marie).

J'ai un cousin (Roger, un très bon ami) et deux cousines (Yvonne et Simone).

Papa a seulement une sœur et maman a deux frères. Les grands-parents Bertillon ont quatre petits-enfants et la grand-mère Duvivier (la mère de maman) a cinq petits-enfants.

Quelquefois nous avons une grande fête chez l'oncle Pierre. Il est très riche et il a une grande maison. C'est amusant quand tout le monde est là.

2. Et moi-même?
J'ai onze ans. J'ai les cheveux bruns et les yeu bleus.

Aujourd'hui je porte une chemise blanche, un cravate rouge, un pull-over rouge, un pantalo gris, des chaussettes grises et des souliers noirs J'aime jouer au football, et j'aime écouter de disques.

Je joue souvent avec des trains et des avion miniatures, et je collectionne des timbres.

Je suis grand, sage et intelligent, et, naturelle ment, j'ai toujours raison!

---

un an *year*
un arbre généalogique *family tree*
les cheveux *hair*
le cousin *cousin*
le disque *record*
les grands-parents *grandparents*
le grand-père *grandfather*
un œil (des yeux) *eye*
un oncle *uncle*
le pantalon *trousers*
le petit-enfant *grandchild*
le timbre *stamp*
le train *train*

la cousine *cousin*
la fête *party*
la grand-mère *grandmother*

amusant *enjoyable*
bête *stupid*
brun *dark brown*
intelligent *clever*
miniature *miniature*
riche *rich*
sage *well-behaved*

avoir *to have* (regardez page 25)
avoir – ans *to be – years old*
avoir raison *to be right*
avoir tort *to be wrong*
collectionner *to collect*
écouter *to listen to*
jouer au football *to play football*

chez *at the house of*
hélas *alas*
moi-même *myself*
n'est-ce pas? *isn't it? haven't we? aren't you? etc.*
seulement *only*
tout le monde *everybody*
très *very*

AVOIR—*(to have)*

J'ai 9 ans.

Non, Alain, **tu as** seulement 4 ans.

M. Bertillon **a** 35 ans. Et **il a** toujours une pipe.

Madame Bertillon **a** trois enfants. Et **elle a** un chat.

Nous avons une sœur, hélas!

Qui est-ce? Oui, **vous avez** raison, c'est Miquet.

Ils ont trois ballons.

Madame Bertillon et Tante Marguerite **ont** des enfants. Et **elles ont** des cheveux gris.

A Tu —— tort, Alain.
Tu as tort, Alain.

Complétez avec le verbe avoir:

(1) M. Colin —— un frère, le jardinier.
(2) Les enfants —— trois cousins.
(3) —— -vous un pull-over gris?
(4) Maman dit (*says*): «Tu —— raison, Marie-Claude, Philippe —— 11 ans.»
(5) Roger et Simone —— quatre cousins.
(6) La maison Bertillon —— une cave.
(7) Est-ce que les parents de M. Bertillon —— des petits-enfants?
(8) Vous —— un uniforme scolaire, hélas!
(9) «J'—— quinze ans», dit Yvonne.
(10) Nous —— beaucoup de disques.

***HOW OLD IS . . .?* Quel âge a . . .?**

B Répondez:

(1) Quel âge a le frère de Simone?
(2) Quel âge ont M. et Mme Bertillon?
(3) Quel âge a la mère de Tante Marguerite?
(4) Quel âge a la sœur de Monsieur Bertillon?
(5) Quel âge a la mère de Pierre?
(6) Quel âge a le cousin de Philippe?
(7) Quel âge avez-vous?
(8) Quel âge a votre voisin (*neighbour*)?
(9) Quel âge ont votre maman et votre papa?
(10) Quel âge a votre professeur?

HOW MANY ARE THERE? THERE ARE ONE, TWO, THREE, ETC.

Combien d'élèves anglais y a-t-il à la page 23?
Il y en a deux, monsieur.

C Répondez:

(1) Combien de voitures y a-t-il à la page 20?
(2) Combien de coussins y a-t-il à la page 12?
(3) Combien de cousins y a-t-il à la page 24?
(4) Combien de portes y a-t-il à la page 11?
(5) Combien d'élèves y a-t-il dans votre classe?

Combien de livres de français avez-vous?
J'en ai un, monsieur.

(6) Combien de crayons avez-vous?
(7) Combien de cravates avez-vous?
(8) Combien de serviettes avez-vous?
(9) Combien de frères avez-vous?
(10) Combien de cousins avez-vous?

***Here is a numbers game for everyone. Go round the class, each pupil giving consecutive numbers* (1, 2, 3, *etc.*).**

If a number contains* 4 (*e.g.* 41) *or is divisible by* 4, *the pupil must say* «Coquerico» *instead of the number. The next pupil carries on with the number after the one left out. Mistakes mean you are 'out'.

RÉVISION

A

***At school Marie-Claude wrote this about her family and home. Fill in the blanks with the appropriate part of* avoir, *or* être, *or* regarder, *or* travailler.**

Je —— une fillette de neuf ans. J'—— deux frères: Philippe —— onze ans et Alain en —— quatre. Papa —— à un aéroport. C'—— un douanier. Quelquefois maman —— dans une boutique. Nous —— aussi un chat, Miquet.

La maison —— petite. Il y —— deux étages, une cave et un grenier. Maman —— dans la cuisine et les enfants —— le poste de télévision dans le salon. Les chambres —— jolies mais petites. Elles —— des lits. Nous —— une famille heureuse.

B

Put the numbers* 1 *to* 19 *in three columns in your exercise book. Against each number, write the French name of the article it designates in the drawing. Do not forget to put* un *or* une *in front of the name.

C

Regardez le magasin de M. Boule et Fils.
Complétez avec sous, contre, sur, derrière, entre, devant, ou dans:

(1) Le buffet (3) est —— le canapé (5) et la commode (2).
(2) La petite table (4) est —— le plancher.
(3) La commode (2) est —— la commode (1) et le buffet (3).
(4) La chaise (6) est —— le mur.
(5) Le lit (7) est —— la chaise (6).
(6) Le vase de fleurs (11) est —— la bibliothèque (10).
(7) Le tapis (13) est —— les fauteuils (9 et 12).
(8) Le miroir (19) est —— le mur.
(9) La grande table (16) est —— le buffet (18).
(10) Le tapis (17) est —— le plancher.

D QU'EST-CE QUE C'EST?

Regardez le magasin de M. Boule et Fils.

(6)? **C'est une chaise.**
(6) et (15)? **Ce sont des chaises.**

(1)	(1) et (2)?	(6)	(14)?
(2)	(9)?	(7)	(18) et (3)?
(3)	(4) et (16)?	(8)	(13) et (17)?
(4)	(9) et (12)?	(9)	(5)?
(5)	(8)?	(10)	(10)?

E

Write out this description of* Father *as it would be written normally, missing out one of each pair of words in brackets.

Voici M. Bertillon. Il porte un veston **(gris, grise)** et des souliers **(noirs, noires)**. La cravate de M. Bertillon est **(bleu, bleue)** et **(noir, noire)**, et la chemise est **(blanc, blanche)**. Il a toujours une **(petit, petite)** pipe. Il porte un pantalon **(gris, grise)** et des chaussettes **(bleus, bleues)**. Le pull-over de papa est très **(gai, gaie)** et le visage est souvent **(souriant, souriante).**

RÉVISION

LA CUISINE DE MADAME BERTILLON

F Répondez:

(1) Qu'est-ce que Mme Bertillon regarde?
(2) Qu'est-ce que Miquet aime?
(3) Qu'est-ce qu'il y a sous l'évier?
(4) Qu'est-ce qu'il y a sous les bols?
(5) Qu'est-ce qu'il y a entre l'évier et la cuisinière?

G Répondez:

(1) Combien de bouteilles y a-t-il sur le frigo?
(2) Combien d'enfants sont avec maman?
(3) Combien de casseroles sont sur la cuisinière?
(4) Combien de bols y a-t-il sur la table?
(5) Combien de chaises sont contre le mur?

H Répondez:

(1) Qui est devant la table?
(2) Qui est devant la cuisinière?
(3) Qui est dans la cuisine?
(4) Qui aide maman?
(5) Qui est devant le frigo?

I Répondez:

(1) Où est le chat?
(2) Où sont les bouteilles de lait?
(3) Où est le frigo?
(4) Où sont les bols?
(5) Où est la fenêtre?

J DESSINEZ VOTRE CUISINE!

Write* 5 *sentences of* 7 *to* 11 *words underneath to describe the people and things in it.

K

Here are some answers to questions about this drawing of the kitchen. Can you invent questions in French that might have produced these answers?

Oui, il y en a une dans la cuisine.
Y a-t-il une table dans la cuisine de Madame Bertillon?

(1) Il y en a deux sur le frigo.
(2) Elle est devant la cuisinière.
(3) Elle porte un tablier bleu.
(4) Oui, Alain est dans la cuisine.
(5) Non, Miquet est sur le plancher.
(6) Il y en a quatre sur la table.
(7) Il y en a six dans la cuisine.
(8) Il est devant la table.
(9) Il regarde les bouteilles de lait.
(10) Non, les bouteilles sont sur le frigo.

L

Le chien est noir.
Les chiens sont noirs.

Mettez au pluriel *(put in the plural)*:

(1) La sœur est méchante.
(2) La cuisine est jolie.
(3) Il a le petit bol.
(4) Tu es le fils.
(5) La boutique est charmante.
(6) Le tablier est rouge.
(7) Un lit est dans la chambre.
(8) Où est le grand salon?
(9) La chaussette est sale.
(10) La cravate est dans l'armoire.

LES DOUZE MOIS DE L'ANNÉE

1. C'est le premier janvier—le jour de l'an. C'est aussi l'anniversaire d'Alain. Il est très content car il a beaucoup de petits cadeaux. Tout le monde est joyeux.

2. C'est le premier avril, le jour des poissons d'avril. À l'école les élèves sont méchants (regardez page treize). Chez les Bertillon, Philippe attache un poisson au képi de papa. Il joue aussi un mauvais tour à Marie-Claude. Il va dans la chambre de Marie-Claude et pose une souris blanche sur le lit. (Marie-Claude déteste les souris blanches, naturellement.)

3. Le quatorze juillet est la fête nationale en France. Tout le monde est en vacances. Il y a des drapeaux partout et tout le monde danse dans les rues.

4. La rentrée des classes tombe souvent le quinze septembre. Malheureusement, les grandes vacances sont terminées et les élèves rentrent à l'école ou au collège. Ils sont tristes mais les parents sont contents.

5. Voici enfin le vingt-cinq décembre—la fête de Noël. Si les enfants sont sages, le Père Noël arrive à la maison. Il porte un sac plein de cadeaux. Quand les enfants sont couchés, il donne les cadeaux aux parents et après, les parents distribuent les bonnes choses aux enfants.

---

un anniversaire *birthday*
le cadeau (-x) *present*
le calendrier *calendar*
le cinéma *cinema*
le collège *secondary school*
le drapeau (-x) *flag*
le jour de l'an *New Year's Day*
le jour des poissons d'avril *April Fool's Day*
le magasin *large store*
le mois *month*
le Père Noël *Father Christmas*
le poisson *fish*
le théâtre *theatre*
le tour *trick*

une année *year*
la chose *thing*
une école *school*
une église *church*
la fête *holiday, festival*
les grandes vacances *summer holidays*
la rentrée des classes *return to school*
la souris *mouse*

bon (bonne) *good*
joyeux (joyeuse) *joyful*
mauvais *bad*
national (-aux) *national*
plein de *full of*
terminé *finished*
triste *sad*

aller *to go* (regardez page 29)
attacher *to attach*
danser *to dance*
détester *to hate*
distribuer *to give out*
donner *to give*
jouer un tour à qqn *to play a trick on somebody*
rentrer *to return*
tomber *to fall on*

après *afterwards*
au secours! *help!*
Bonne Année! *Happy New Year!*
en vacances *on holiday*
Joyeux Noël! *Merry Christmas!*
malheureusement *unfortunately*

TO, TO THE

Le Père Noël donne un cadeau **à** Miquet, **au** garçon, **à l'**enfant, **à la** fille et **aux** parents.

A Complétez avec à, au, à la, à l' ou aux:

LE PÈRE NOËL DONNE...

Le 25 décembre, le Père Noël donne des cadeaux —— amille. Il donne une boîte de chocolats —— parents. Il lonne aussi une pipe —— père et un tablier —— mère. Il lonne —— enfants trois cadeaux: un ballon rouge —— Alain, un livre de Tintin —— Philippe et un pull-over —— etite fille. Enfin il donne une petite bouteille de lait —— hat.

L'AGENDA DE MAMAN

B Répondez:

(1) Où va Madame Bertillon le samedi 19?
(2) Qui va avec Mme Bertillon le jeudi 17?
(3) Qui va avec Madame Bertillon le vendredi 18?
(4) Où va Alain le mardi 15?
(5) Où va Mme Bertillon le 17 novembre?
(6) Où va la famille le dimanche 13?
(7) Où va Madame Bertillon le 14 novembre?
(8) Quand est-ce qu'elle va au parc?
(9) Quand est-ce qu'elle va à la boutique?
(10) Quand est-ce qu'elle va aux grands magasins?

C Complétez avec le jour et le mois:

(1) En France les élèves rentrent à l'école le —— ——.
(2) À notre (*our*) collège nous rentrons le —— ——.
(3) En France il y a des drapeaux partout le —— ——.
(4) À notre collège les vacances de Noël commencent le —— ——.
(5) Nous jouons un mauvais tour aux amis le —— ——.
(6) Mon anniversaire (*my birthday*) tombe le —— ——.
(7) On donne des cadeaux à la famille et aux amis le —— ——.
(8) L'année commence le —— ——.
(9) Le Père Noël arrive le —— ——.
10) Aujourd'hui c'est le —— ——.

ALLER—*(to go)*

Philippe dit: «**Je vais** au collège de Villeneuve.»

Le facteur dit à la fillette:
«**Tu vas** à l'école, n'est-ce pas?
Va vite, Marie-Claude!»

M. Bertillon **va** à l'aéroport en scooter.

Papa et maman disent:
«**Nous allons** au théâtre jeudi.
Allons au cinéma lundi!»

Papa dit aux enfants:
«**Vous allez** au parc samedi.
Allez à l'école aujourd'hui!»

Les Bertillon **vont** souvent à l'église.

D Complétez avec le verbe aller:

(1) Elles —— aux grands magasins samedi.
(2) —— à votre chambre, Philippe et Alain!
(3) Où —— le facteur aujourd'hui?
(4) Vous —— au théâtre le 17 novembre.
(5) Je —— à la boutique de Tante Marguerite.
(6) Il —— au parc mardi.
(7) Les élèves français —— au collège de Villeneuve.
(8) Marie-Claude, —— vite à la maison de Roger et Simone!
(9) Elle —— à l'école à vélo.
(10) M. et Mme Bertillon —— au cinéma lundi.

E DESSINEZ VOTRE AGENDA!

Draw your own French diary for this week. Put in the name and date of each day. Write one French sentence of 5 to 9 words, saying where you are going or what you are doing each day.

PHILIPPE ET ALAIN ATTRAPENT . . . UN CHIEN

1. C'est un samedi. Philippe et Alain vont à la rivière. Philippe porte une canne à pêche et Alain a un petit sac. Ils vont attraper un poisson pour Miquet . . . peut-être. Marie-Claude n'aime pas la pêche; elle reste à la maison.

2. Philippe est grand (il a onze ans) et il marche vite, mais le petit Alain a seulement quatre ans et il ne marche pas vite. Ils traversent le beau parc, mais aujourd'hui Philippe ne joue pas avec les amis—non, il va à la pêche.

3. Philippe et Alain passent une heure au bord de la rivière mais ils n'ont pas de chance. Ils attrapent deux vieilles boîtes, des souliers et un vieux chapeau, mais malheureusement ils n'attrapent pas de poissons pour Miquet.

4. Philippe est un garçon patient mais le petit Alain n'est pas très content. Il est triste, il est fatigué. Il n'aime pas la pêche, il n'aime pas la belle rivière, il déteste Philippe. Bientôt il commence à pleurer.

5. Pendant que Philippe pêche, Alain va jouer sur le sentier et trouve un chien noir et blanc. C'est un chien perdu sans doute. Soudain Philippe attrape un gros poisson. Le chien regarde le poisson parce qu'il a faim. (Un chien perdu ne mange pas souvent.)

6. Le chien marche derrière les garçons quand ils rentrent à la maison et en route il mange le gros poisson. Les garçons montrent le chien à la famille et à Miquet. Miquet n'a pas de poisson aujourd'hui mais il a un nouvel ami . . . peut-être!

---

le bord *edge*
le chien *dog*
le sentier *path*
le tabac *tobacco*

---

la canne à pêche *fishing rod*
une heure *hour*
la pêche *fishing*
la rivière *river*

beau *beautiful*
fatigué *tired*
gros (grosse) *fat*
nouveau *new*
patient *patient*
perdu *lost*
vieux *old*

aller à la pêche *to go fishing*
attraper *to catch*
avoir faim *to be hungry*
commencer à *to begin to* (nous commençons)
manger *to eat* (nous mangeons)
montrer *to show*
passer *to spend (time)*
pêcher *to fish*
pleurer *to cry*
rester *to stay, remain*

bientôt *soon*
dépêche-toi! *hurry up!*
encore un . . . *another*
ils n'ont pas de chance *they are unlucky*
ne . . . pas *not*
parce que (qu' *before vowel*) *because*

pendant que *whilst*
peut-être *perhaps*
sans doute *certainly*
si *yes (contradicting someone)*
soyez sages! *be good!*
tais-toi! *shut up!*
vite *quickly*
zut! *drat! (etc.)*

Papa **ne** travaille **pas.**

Il **n'**est **pas** fatigué.

Il **n'**aime **pas** le travail.

Papa **n'**a **pas de** tabac.

Il **n'**attrape **pas de** vieux chapeaux.

Il **n'**y a **pas d'**enfants ici.

A Est-ce que Marie-Claude a 3 frères?
Non, elle n'a pas 3 frères.

Répondez:
(1) Est-ce que Philippe a 15 ans?
(2) Est-ce qu'Alain va à la pêche avec Marie-Claude?
(3) Est-ce que Philippe joue avec les amis aujourd'hui?
(4) Est-ce que les 2 garçons passent 2 heures au bord de la rivière?
(5) Est-ce qu'Alain est content?
(6) Est-ce que Philippe déteste la pêche?
(7) Est-ce qu'il attrape beaucoup de poissons?
(8) Est-ce que Kiki est gris?

BEAU, NOUVEAU, VIEUX

le **beau** / **nouveau** / **vieux**	jardin	les **beaux** / **nouveaux** / **vieux**	jardins / arbres
le **bel** / **nouvel** / **vieil**	arbre		
la **belle** / **nouvelle** / **vieille**	femme / image	les **belles** / **nouvelles** / **vieilles**	femmes / images

C Voici un —— arbre. **(beau)**
Voici un bel arbre.

Complétez:
(1) Orly est un —— aéroport. **(beau)**
(2) Il y a une —— allée devant la maison. **(beau)**
(3) Miquet trouve une —— soucoupe de lait. **(beau)**
(4) Papa a un —— scooter. **(nouveau)**
(5) Kiki est le —— ami de Miquet. **(nouveau)**
(6) Les —— bouteilles sont à la cave. **(nouveau)**
(7) Papa rencontre les —— femmes. **(vieux)**
(8) Le —— agent attrape le chien perdu. **(vieux)**
(9) Les —— arbres sont derrière la maison. **(vieux)**
(10) Dans le livre il y a une —— image. **(vieux)**

B Est-ce que maman a une pipe?
Non, elle n'a pas de pipe.

Répondez:
(1) Est-ce que maman a du tabac?
(2) Est-ce que Marie-Claude attrape des poissons?
(3) Est-ce que la cousine Yvonne a des frères?
(4) Est-ce que Marie-Claude a des sœurs?
(5) Est-ce que papa attrape des boîtes?
(6) Est-ce que les garçons attrapent des éviers?
(7) Est-ce que l'oncle Pierre a des enfants?
(8) Est-ce qu'il y a du poisson pour Miquet aujourd'hui?

D **QU'EST-CE QUE C'EST?**

(1) 

(4) 

(2) 

(5) 

(3) 

(6) 

L'ANNIVERSAIRE DE MARIE-CLAUDE

1. C'est le quinze novembre, l'anniversaire de Marie-Claude. Aujourd'hui elle a dix ans. La sacoche du facteur est pleine et lourde car il apporte cinq paquets et onze lettres pour Marie-Claude.

2. Elle regarde les lettres et elle ouvre vite les paquets. Oh regardez les beaux cadeaux! Marie-Claude est très contente

3. Dans le paquet de la cousine Yvonne il y a un livre de Tintin. La tante Marie offre à Marie-Claude un nouveau stylo et le cadeau de l'oncle Pierre est une belle montre. Elle a beaucoup de jolis cadeaux de la famille aussi. Elle a de la chance, n'est-ce pas?

4. Elle invite des amis à une soirée. Les amis apportent des disques et des cadeaux. On chante «Bon Anniversaire» et Marie-Claude souffle les bougies sur le gâteau d'anniversaire. Plus tard tout le monde mange un morceau de gâteau. Ah, chic alors, c'est délicieux!

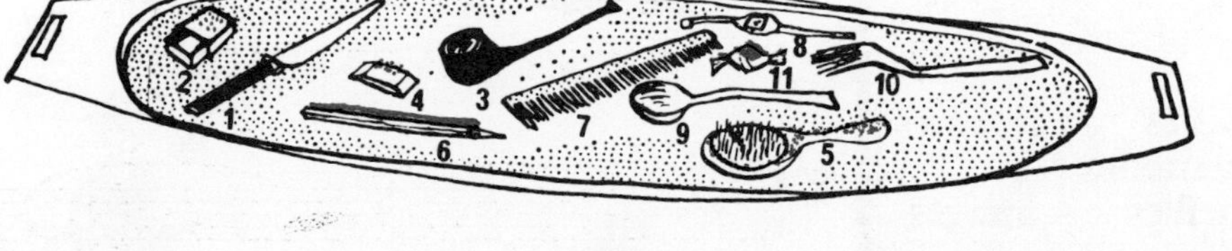

5. Pendant la soirée, on chante, on écoute les disques des amis et on joue à beaucoup de jeux. Un jeu de mémoire, par exemple. M. Bertillon pose des objets sur un plateau. Tout le monde regarde les objets pendant deux minutes, puis M. Bertillon couvre le plateau d'un mouchoir. Après, on écrit le nom des objets sur une feuille de papier. Qui gagne? Philippe, naturellement!

Les objets sur le plateau

1. un **couteau (-x)** *knife*
2. une **boîte d'allumettes** *box of matches*
3. une **pipe** *pipe*
4. une **gomme** *rubber*
5. une **brosse** *brush*
6. un **crayon** *pencil*
7. un **peigne** *comb*
8. une **montre** *watch*
9. une **cuiller** *spoon*
10. une **fourchette** *fork*
11. un **bonbon** *sweet*

---

le gâteau (-x) *cake*
un homme *man*
le jeu (-x) *game*
le mouchoir *handkerchief*
le morceau (-x) *bit, piece*
le nom *name*
le plateau (-x) *tray*
le prénom *Christian name*

la **bougie** *candle*
la **feuille de papier** *sheet of paper*
la **mémoire** *memory*
la **minute** *minute*
la **soirée** *party (in the evening)*

---

délicieux (délicieuse) *delicious*
lourd *heavy*

apporter *to bring*
avoir de la chance *to be lucky*
chanter *to sing*
couvrir *to cover* (*like* ouvrir)
gagner *to win*
inviter *to invite*
jouer à *to play*
offrir *to give (a present); to offer* (*like* ouvrir)
souffler *to blow (out)*

chic alors! *smashing!*
Bon Anniversaire! *Happy Birthday!*
on écrit *one writes, we write, they write, people write* (on *refers to people in general, e.g.* on chante—*they sing*)
pendant *during*
pendant deux minutes *for two minutes*
plus tard *later*

OF, OF THE

Voici le sac **de** maman, 

la sacoche **du** facteur, 

le cadeau **de la** tante, 

le cadeau **de l'**oncle 

et les disques **des** amis. 

le sac de maman = ***Mum's bag.***
(There is no apostrophe s in French).

OUVRIR *(to open)*

J'ouvre la fenêtre.

Tu ouvres le paquet.
Ouvre le pupitre!

Il ouvre une lettre.

Nous ouvrons les boîtes.
Ouvrons les cadeaux!

Vous ouvrez la main.
Ouvrez les yeux!

Ils ouvrent la porte du salon.

A QU'EST-CE QUE C'EST?

C'est la pipe de papa.
ou
C'est la pipe du père.
ou
C'est la pipe de l'homme.

(1)  

(4)  

(2)  

(5)  

(3)  

B Répondez:

1) Quelle est la date du jour de l'an?
2) Quelle est la date de la fête de M. Guy Fawkes?
3) Quelle est la date de l'anniversaire de la fille de Madame Bertillon?
4) Quelle est la date des poissons d'avril?
5) Quelle est la date de la rentrée des classes en France?
6) Quelle est la date de la fête nationale de la France?
7) Quelle est la date de la visite du Père Noël?
8) Quelle est la date du commencement (*start*) des vacances de Noël?
9) Quelle est la date de la fin (*end*) des vacances de Noël?
10) Quelle est la date du dernier (*last*) jour du mois de février?

C Complétez avec les verbes couvrir, offrir ou ouvrir:

(1) —— la porte, s'il te plaît, Philippe!
(2) On —— des cadeaux aux amis à Noël.
(3) Nous —— un disque de jazz à Marie-Claude.
(4) —— vite le plateau, Alain et Philippe!
(5) —— la porte, s'il vous plaît!
(6) Les cartes —— le mur de la salle de géographie.
(7) Papa —— des fleurs à maman.
(8) On —— une bouteille de lait pour Miquet.
(9) Tu —— un vieux poisson à Kiki.
(10) J'—— le livre de français à la page 33.

BON ANNIVERSAIRE!

D G D
Bon An-ni-ver-sair-e Nos vœux les plus sin-cèr-es
Hap-py Birth-day, our best wish-es,
A D
Et que, l'an fi-ni, nous soy-ons tous ré-un-is
And may, in a year's time, we all meet a-gain,
D A7 D
pour chan-ter en-cor-e Bon An-ni-ver-sai-re
to sing once more, Hap-py Birth-day!

ALLONS AU CINÉMA!

La famille Bertillon est dans le salon après le repas du soir.

Monsieur Bertillon fume sa pipe, Madame Bertillon regarde son magazine «Elle», les trois enfants jouent.

M. Bertillon: Qu'est-ce que nous allons faire ce soir? Alain va bientôt au lit et les autres enfants n'ont pas de devoirs.

Mme Bertillon: Regardons la télévision!

M. Bertillon: Mais non, tous les programmes sont mauvais ce soir.

Mme Bertillon: Jean, répare le tourne-disques! Il est cassé, malheureusement. Les enfants n'écoutent pas leurs disques.

Philippe: Ah oui, papa, s'il te plaît. Tous nos disques sont inutiles maintenant parce que nous n'avons pas de tourne-disques.

M. Bertillon: Ah non, pas ce soir. Je suis trop fatigué et vos disques ne sont pas toujours agréables.

Mme Bertillon: J'ai une idée. Allons au cinéma! Il y a un bon film policier.

Philippe: Ah chic alors! J'aime tous les films, mais surtout les films policiers..... Les détectives cherchent le voleur.... Qui est l'homme mystérieux au coin de la rue?... C'est le voleur, pan! pan!

Marie-Claude: Moi, je n'aime pas tout cela. C'est trop cruel et c'est bête aussi. Je reste à la maison et je joue avec Alain pendant vingt minutes.

Alain: Oui, Marie-Claude. Jouons aux cartes ensemble. Je gagne toujours quand nous jouons à la bataille.

Marie-Claude: Pas toujours, Alain; quelquefois, seulement.

M. Bertillon: Oui, allons au cinéma. C'est une très bonne idée. Où est notre journal d'aujourd'hui?... voilà, les cinémas sont à la page huit... vite, dépêchons-nous, le film commence bientôt. Ôte tes pantoufles, Philippe, et va chercher tes souliers! Annette, où est mon chapeau?

Mme Bertillon: Sur le portemanteau dans le vestibule, comme toujours.

Philippe: Maman, où sont mes gants? Je suis certain que Marie-Claude cache tous mes vêtements.

Mme Bertillon: Ils sont dans ton armoire, comme toujours.

Philippe: Non, ils ne sont pas là.

Mme Bertillon: Mais si! à droite avec tes chaussettes.

Philippe: Ah oui, c'est vrai. Tu as raison.

Marie-Claude: Maman, Alain va bientôt au lit. Où est son pyjama?

Mme Bertillon: C'est comme toujours. Son pyjama est dans la salle de bains, et ta chemise de nuit aussi.

Alain: Maman, où sont toutes les cartes? Elles ne sont pas dans ma chambre.

Mme Bertillon: Mais non, naturellement. Elles sont à gauche dans le buffet, comme toujours.

Philippe: Maman, où est...

Mme Bertillon: Ça suffit, mes enfants. Maman, maman, toujours maman. Vous posez sans cesse des questions et vous oubliez toujours. Vous êtes insupportables. Heureusement, moi, je n'oublie pas!

M. Bertillon: Allons, en route, nous sommes en retard. Au revoir, mes enfants, soyez sages!

Marie-Claude et Alain: Au revoir, à bientôt.

Monsieur, Madame Bertillon et Philippe quittent la maison. Quand ils arrivent devant le cinéma, Madame Bertillon ouvre son sac et cherche quelque chose.

M. Bertillon: Qu'est-ce que tu cherches?

Mme Bertillon: Ah zut! Où sont mes lunettes? Que je suis bête!

M. Bertillon: Elles sont sans doute à la maison, dans le salon, derrière la pendule.

M. Bertillon:
Philippe: } Comme toujours!

---

le cinéma *cinema*
le détective *detective*
le film policier *detective film*
le gant *glove*
le journal *newspaper*
le magazine *magazine*
le portemanteau *hatstand*
le programme *programme*
le pyjama *pyjamas*
le repas du soir *evening meal*
le tourne-disques *record-player*
le voleur *thief*

la carte *card*
la chaussette *sock*
la chemise de nuit *nightdress*
une idée *idea*
les lunettes *spectacles*
les pantoufles *slippers*
la visite *visit*

cassé *broken*
certain (que) *certain (that)*
cruel (cruelle) *cruel*
insupportable *unbearable*
inutile *useless*
mystérieux (mystérieuse) *mysterious*
propre *clean*
tout all (regardez page 35)
vrai *true*

cacher *to hide*
fumer *to smoke*
jouer aux cartes *to play cards*
jouer à la bataille *to play 'snap'*
ôter *to take off*
oublier *to forget*

à bientôt *see you soon*
à droite *on the right*
à gauche *on the left*
ça suffit! *that's enough!*
ce soir *this evening*
comme toujours *as always*
d'accord! *I agree!*
dépêchons-nous *let's hurry*
en retard *late*
heureusement *fortunately*
que je suis...! *how... I am!*

quelque chose *something*
sans cesse *unceasingly*
s'il te plaît *please*
surtout *especially, above all*
tout cela *all that*
trop *too*

MY	Maman dit: «J'aime **mon** mari, **ma** fille et **mes** deux garçons.»
YOUR (tu)	Papa dit à Marie-Claude: «Va à **ton** école avec **ta** mère et **tes** amies!»
HIS	Philippe cherche **son** encre, **sa** règle et **ses** crayons.
HER	Marie-Claude aime **son** papa, **sa** maman et **ses** frères.
OUR	Nous ôtons **notre** manteau et **nos** souliers.
YOUR (vous)	Réparez **votre** tourne-disques et **vos** vélos!
THEIR	Alain et Philippe vont au parc avec **leur** tante et **leurs** parents.

C'est lundi matin. Madame Bertillon lave les vêtements sales de la famille. Voici sa corde au jardin.

A Complétez:

(1) Marie-Claude dit: «Voici —— jupe, —— pull-over, et les vêtements de —— parents et de —— frères.»
(2) Maman dit à Philippe: «Regarde —— chaussettes et —— chemise, et les affaires de —— frère, de —— papa et de —— maman.»
(3) Aujourd'hui Philippe porte une de —— chemises bleues parce que —— mère lave —— chemise blanche.
(4) Philippe dit à Alain: «—— chaussettes et —— chemises sont sur la corde. —— vêtements sont bien propres, n'est-ce pas?»
(5) Mme Bertillon dit à Alain et à sa fille: «—— vêtements ne sont plus sales. —— mère travaille dur aujourd'hui.»
(6) Les enfants aiment la machine à laver de —— maman parce qu'elle lave bien —— vêtements sales. Ils aiment —— vêtements propres.

ALL, EVERY

Elle mange **tout** le gâteau.

Il arrive **tous** les mardis.

Le professeur dit bonjour à **toute** la classe.

Elle lave **toutes** les chemises.

B

(1) Allez à la table de votre professeur. Ramassez (*pick up*) les objets sur sa table et dites (*tell*) à la classe: «Voici son stylo, etc.» Dites à votre professeur: «Voici votre livre, monsieur, etc.»

(2) Ramassez les objets sur votre pupitre et dites à la classe: «Voici ma règle, etc.»

(3) Regardez les objets sur le pupitre d'un de vos voisins et dites-lui (*say to him*): «Voici ton crayon, Richard, etc.» Dites à la classe: «Voilà son crayon, etc.»

C Complétez avec tout, tous, toute, ou toutes:

(1) Le charbonnier passe —— les mercredis.
(2) Ôtez-moi —— cela!
(3) —— les Bertillon ne vont pas au cinéma ce soir.
(4) Elle aime —— la famille.
(5) Nous regardons la télévision —— les soirs.
(6) Miquet et Kiki mangent —— le repas de la famille.
(7) —— les voleurs sont morts enfin.
(8) Alain dessine sur —— les livres de son frère.
(9) —— les cartes de Marie-Claude sont sur le plancher.
(10) M. Bertillon regarde dans —— les valises.

UN TOUR DANS LES BOUTIQUES

1. À LA BOULANGERIE

M. Painchaud: Et pour vous, mes enfants?
Philippe: Deux pains et trois baguettes, s'il vous plaît.
M. Painchaud: Voilà. Ça fait deux francs cinquante.
Philippe: Voilà l'argent, monsieur.
M. Painchaud: C'est juste. Il n'y a pas de monnaie. Au revoir et merci!

2. AU CAFÉ-TABAC

Marie-Claude: Puis-je avoir une boîte d'allumettes et cin timbres à vingt-cinq centimes, s'il vous plaît.
Mme Leblanc: Voilà, ma petite. Un franc cinquante, s'il t plaît.
Philippe: Hé, Marie-Claude, tu oublies du tabac pour papa
Marie-Claude: Ah oui, c'est vrai. Un paquet de tabac, s'i vous plaît.
Mme Leblanc: Voilà du tabac. Encore deux francs. Ça fai trois francs cinquante en tout. Merci, au revoir.
Philippe et Marie-Claude: Au revoir, madame.

3. À LA CRÉMERIE

M. Barbichon: Vous désirez, mademoiselle?
Marie-Claude: Je voudrais une bouteille de lait, du fromage et des œufs.
M. Barbichon: Voici le lait. Quel fromage désirez-vous?
Marie-Claude: Du camembert. Et six œufs.
M. Barbichon: Voilà—ça fait trois francs cinquante centimes en tout. Un billet de dix francs, merci, mademoiselle.... N'oubliez pas votre monnaie.
Marie-Claude: Ah non. Merci, monsieur.
M. Barbichon: Merci à vous, mademoiselle. Au revoir.

4. DEVANT LA PÂTISSERIE-CONFISERIE

Marie-Claude: Oh, Philippe, regarde tous les bonbons dans la vitrine! Que vas-tu acheter?
Philippe: Je n'achète pas de glaces et les gâteaux sont trop chers. Moi, j'achète cent grammes de bonbons et du chocolat.
Marie-Claude: Bon. Achetons aussi du chocolat pour Alain et deux sucettes pour moi. Chic alors!

SOME, ANY

Avec **de l'**argent 
j'achète **du** lait, 

de la farine
et **des** biscuits. 

Je n'achète **pas de** crème. 

A **Répondez:**

(1) Qu'est-ce qu'on achète à la boulangerie?
(2) Qu'est-ce que votre mère achète à la crémerie?
(3) Qu'est-ce que votre papa achète au café-tabac?
(4) Qu'est-ce qu'on achète à la pâtisserie-confiserie?

B ***Write out this story, replacing the drawings by the French for 'some' or 'any' plus the correct name for the substance drawn.***

Aujourd'hui je vais aux boutiques avec mon père. D'abord nous allons à la crémerie où nous achetons  mais nous n'achetons pas . Après, papa entre dans le café-tabac. Là il achète  et  Pendant qu'il est au café-tabac, je vais à la boulangerie où j'achète  et  pour ma mère, mais je n'achète pas 

Enfin nous passons devant la vitrine d'une très bonne boutique—la pâtisserie-confiserie. Je n'ai pas  mais mon père achète  pour moi et  pour maman. Chic alors!

C Est-ce qu'on achète des œufs à la boulangerie?
Non, on n'achète pas d'œufs à la boulangerie: on achète des œufs à la crémerie.

Répondez:

(1) Est-ce qu'on achète des croissants à la crémerie?
(2) Est-ce que votre papa achète du tabac à la boulangerie?
(3) Est-que votre mère achète du pain à la pâtisserie-confiserie?
(4) Est-ce que votre professeur achète des cigarettes au collège?
(5) Est-ce que vos amis achètent du beurre au théâtre?
(6) Est-ce que vous achetez des croissants au cinéma?

ACHETER—*(to buy)*

J'achète du tabac.

Tu achètes du chocolat.
Achète-moi cela, s'il te plaît!

Il achète des bonbons.

Nous achetons des œufs.
Achetons du lait!

Vous achetez de la crème.
Achetez-moi une pipe!

Ils **achètent** du fromage.

JE VAIS AU MARCHÉ ACHETER...

Here is a chance to play the same sort of game as we did on page 17. This time we begin with the phrase* «Je vais au marché acheter ...» *and put* du, de la, de l', *or* des *in front of each noun.

---

l'argent *money*
le billet *note*
le beurre *butter*
le biscuit *biscuit*
le café-tabac *café and tobacconist's*
le camembert *type of cheese*
le centime *centime*
le chocolat *chocolate*
le croissant *roll*
le fromage *cheese*
un œuf *egg*
le pain *bread, loaf*
le tour *trip*

la baguette *long, thin loaf*
la boulangerie *bakery*
la crème *cream*
la crémerie *dairy-shop*
la farine *flour*
la glace *ice-cream*
la monnaie *change*
la pâtisserie-confiserie *confectioner's*
la sucette *lollipop*
la vitrine *shop-window*

cher (chère) *dear*
quel (quelle) *what*

acheter *to buy*
désirer *to want*
ça fait *that makes*
je voudrais *I should like*
puis-je avoir? *may I have?*

cent grammes 100 *grams* = $\frac{1}{4}$ *lb.*
c'est juste *it's correct*
en tout *in all*

ÇA VA MIEUX?

1. Ce soir, quand Philippe arrive chez lui, il est fatigué et il ne peut pas marcher vite. Il a la figure pâle, il a mal à la tête et à la gorge. Il n'est pas joyeux comme toujours et—quelle surprise!—il ne désire pas de goûter.

2. Maman et Philippe vont tout de suite chez leur médecin. (Marie-Claude ne va pas avec eux, elle reste à la maison.) Dans la salle d'attente, Philippe regarde les journaux et les magazines mais ils ne sont pas intéressants. Il souffre, il grogne. Quand on est malade, on est souvent de mauvaise humeur.

3. Ils entrent enfin dans le cabinet du docteur Martin. Philippe explique sa maladie—il a froid, il a mal presque partout et ses jambes tremblent—et le médecin examine le pauvre garçon. C'est un homme habiie (et très charmant aussi) et il découvre bientôt pourquoi Philippe est malade.

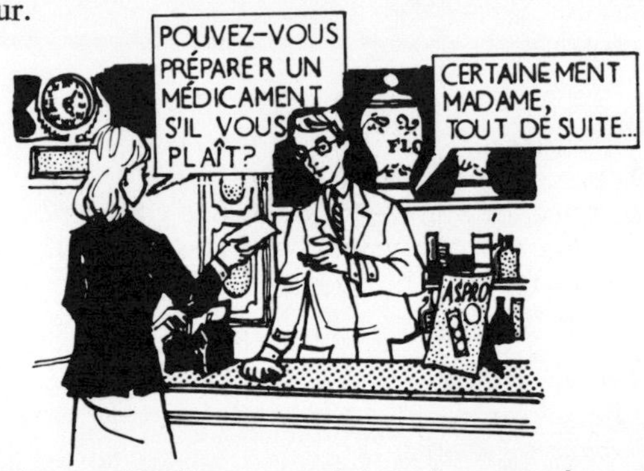

4. Pendant que Philippe rentre à la maison, sa mère va à la pharmacie, où elle donne l'ordonnance au pharmacien, M. Caillou. Bientôt M. Caillou donne à Mme Bertillon une bouteille de liquide brun. C'est un médicament contre la grippe.

5. Pendant trois jours Philippe reste au lit. Sa mère monte souvent l'escalier pour apporter les repas dans la chambre du malade. Philippe est content parce qu'il ne peut pas aller au collège, et parce que Marie-Claude travaille dur pendant que lui, il ne travaille pas.

6. Après quatre jours Philippe est guéri—mais Marie-Claude et maman ont elles-mêmes la grippe. Ce sont elles, maintenant, les malades. Elles ne peuvent plus travailler, elles restent au lit. Qui travaille dur maintenant? C'est Philippe—il n'est plus content!

---

le bras *arm*
le cabinet *study*
le docteur *Dr.* (*title*)
le doigt *finger*
le genou (-x) *knee*
le goûter *tea*
le liquide *liquid*
le/la malade *sick person*
le médecin *doctor*
le médicament *medicine*
le pharmacien *chemist*

la cheville *ankle*
la dent *tooth*
la figure *face*
la gorge *throat*
la grippe *influenza*
la jambe *leg*
une ordonnance *prescription*
une oreille *ear*
la pharmacie *chemist's shop*
la salle d'attente *waiting room*
la tête *head*

frisé *curly*
fort *strong*
guéri *cured*
habile *clever*
intéressant *interesting*
long (longue) *long*
malade *ill*
pâle *pale*
pauvre *poor*

avoir froid *to feel cold*
avoir mal à . . . *to have a . . . -ache*
découvrir *to discover* (*like* ouvrir)
examiner *to examine*
expliquer *to explain*
grogner *to grumble*
monter l'escalier *to go upstairs*
pouvoir *to be able* (regardez page 39)
souffrir *to suffer, feel ill* (*like* ouvrir)
trembler *to tremble*

assieds-toi! *sit down!*
ça va mieux? *are you feeling better?*
de mauvaise humeur *in a bad temper*
j'en ai assez! *I'm fed up!*
ne . . . plus *no more, longer*
pourquoi *why*
presque *almost*
quelle vie! *what a life!*
tout de suite *at once, immediately*

VOICI UN JOUEUR DE FOOTBALL

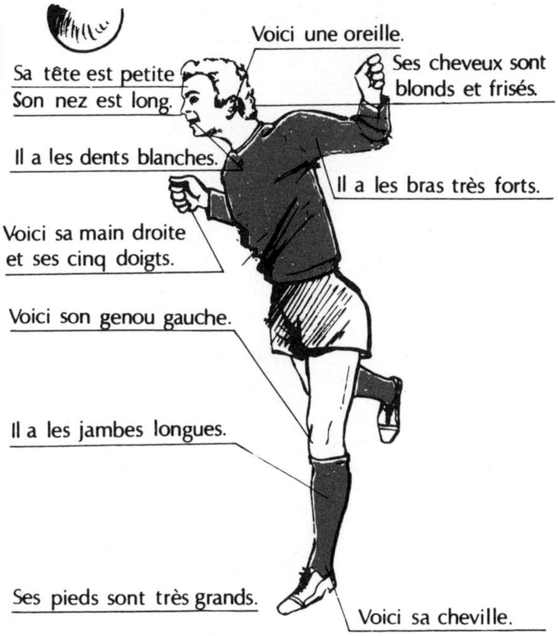
Voici une oreille.
Sa tête est petite
Son nez est long.
Ses cheveux sont blonds et frisés.
Il a les dents blanches.
Il a les bras très forts.
Voici sa main droite et ses cinq doigts.
Voici son genou gauche.
Il a les jambes longues.
Ses pieds sont très grands.
Voici sa cheville.

A

(a) Le malade, c'est vous. Expliquez à vos parents: J'ai mal à la tête, etc.
(b) Le malade, c'est un ami. Expliquez à ses parents: Il a mal à la tête, etc.
(c) Le malade, c'est votre professeur. Dites-lui: «Monsieur, je suis désolé parce que vous avez mal à la tête, etc.»

(1) 

(2) 

(3) 

(4) 

(5) 

(6) 

(7) 

POUVOIR—***(to be able to)***

Je peux, je puis marcher très vite.
Puis-je avoir de l'encre, monsieur?
Tu peux aider ta mère.
Il peut garder le lit quand il est malade.
Nous pouvons nous lever tard le samedi.
Vous pouvez donner l'argent au charbonnier.
Ils ne **peuvent** pas jouer au football tous les jours.

B **Répondez:**

(1) Est-ce que nous pouvons bien travailler quand nous sommes malades?
(2) Est-ce que vous pouvez aller chez votre médecin le dimanche pour une consultation?
(3) Est-ce qu'on peut manger quand on a mal à la gorge?
(4) Est-ce qu'on peut acheter du fromage à la pharmacie?
(5) Est-ce que votre mère peut rester au lit tous les matins?
(6) Est-ce qu'on peut acheter du lait à la boulangerie?
(7) Est-ce que vous pouvez manger en classe?
(8) Est-ce qu'un chien peut parler?
(9) Est-ce que les chats peuvent se laver les oreilles?
(10) Est-ce que les jeunes enfants peuvent acheter du vin et du tabac en France? Et ici?

EMPHATIC PRONOUNS

Qui lave vos vêtements, madame?	**Moi-même,** monsieur.
Où vas-tu, Alain?	Je vais avec **toi.**
Qui répare le scooter?	M. Bertillon, **lui-même.**
Est-ce à la fillette ou aux garçons?	C'est à **elle.**
Qui va travailler, mes élèves?	Ce n'est pas **nous,** monsieur.
Qui est le professeur de français?	**Vous-même,** monsieur.
Où sont Philippe et M. Bertillon?	Ils sont chez **eux.**
Est-ce maman et Marie-Claude?	Oui, ce sont **elles.**

C ***Use one out of* moi, toi, lui, elle, nous, vous, eux, elles, *in every answer.***

Où allons-nous?
Nous allons chez nous.

Répondez:

(1) Est-ce Philippe et son chien?

(2) Est-elle à maman?

(3) Où est Alain?

(4) Est-ce le facteur et l'agent?

(5) Qui travaille dans notre salle de classe?

(6) Est-elle à Marie-Claude ou à Philippe?

(7) Où allez-vous?

(8) «Qui marche derrière Kiki?» dit Alain.

(9) À qui sont ces beaux livres de français?

PLAN DE VILLENEUVE

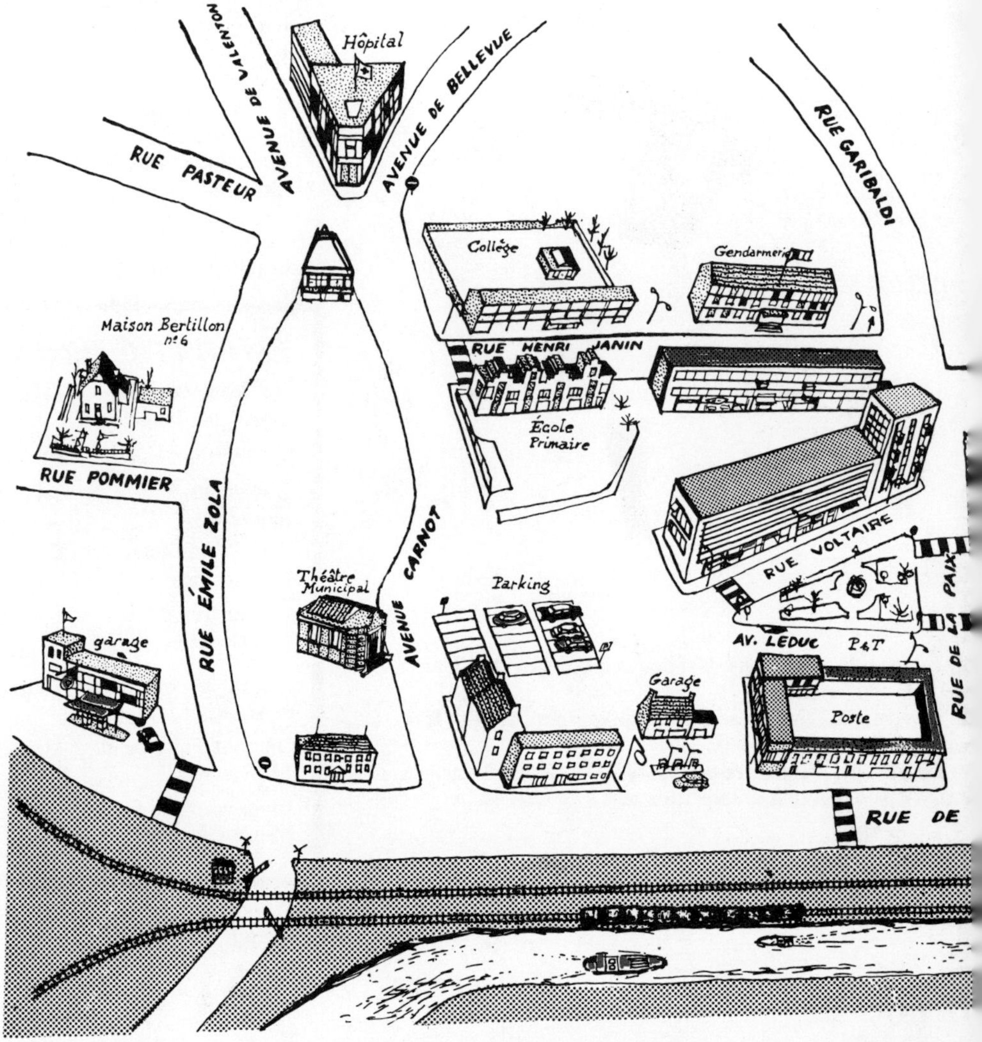

UNE PROMENADE

Le dimanche après-midi Philippe fait une promenade avec son chien Kiki. Quelquefois Marie-Claude va avec eux, mais elle est souvent paresseuse et reste à la maison.

Philippe quitte la maison (leur adresse est 6 rue Pommier, Villeneuve) et tourne tout de suite à gauche. À la rue Émile Zola, il tourne à droite et va jusqu'à la rue de Paris. Là il tourne à gauche et prend la rue principale de Villeneuve. Il passe devant un garage, l'hôtel de ville et la banque. Pendant qu'il marche, il regarde aussi les trains à sa droite. Quand il arrive en face du café-tabac il tourne à gauche, prend l'avenue des Fusillés et entre dans le parc près du château. Là Kiki est très content—il peut jouer parmi les arbres. Après quelques minutes dans le parc, Philippe et son chien passent à droite du château, tournent tout de suite à gauche (ils n'aiment pas le cimetière—ce n'est pas très gai) et prennent l'avenue de la République. Quelquefois Philippe regarde un match de football au stade. . . .

Dans la rue de Balzac, il y a la bibliothèque municipale. Philippe va à la bibliothèque tous les vendredis pour emprunter un livre, mais le dimanche la bibliothèque est fermée. Dans la rue Henri-Janin, Philippe passe vite devant la gendarmerie et son collège. Il regarde pendant quelques minutes les bonnes choses dans la vitrine du supermarché, et bientôt il rentre chez lui.

PETITE CONVERSATION DANS LA VILLE

Devant la gare.

Un visiteur: Pardon, monsieur l'agent, pour aller au théâtre, s'il vous plaît?

L'agent: Prenez la rue de Paris. Continuez tout droit jusqu'à l'avenue Carnot. C'est la troisième rue à droite. Tournez à droite et le théâtre est à votre gauche en face du parking.

Le visiteur: Merci, monsieur l'agent.

L'agent: De rien, monsieur, à votre service.

---

un après-midi *afternoon*
le château (-x) *large mansion*
le cimetière *cemetery*
un hôpital (-aux) *hospital*
l'hôtel de ville *Town Hall*
le parking *parking-place*
le pont *bridge*
le poste de pompiers *fire-station*
le quartier *suburb*
le stade *stadium*
le supermarché *supermarket*
le visiteur *visitor*
une adresse *address*
la banque *bank*
la bibliothèque *library*
une école maternelle *infants' school*
une école primaire *primary school*
la gare *railway station*
la gendarmerie *police-station*
la Poste *Post Office*
la promenade *walk*

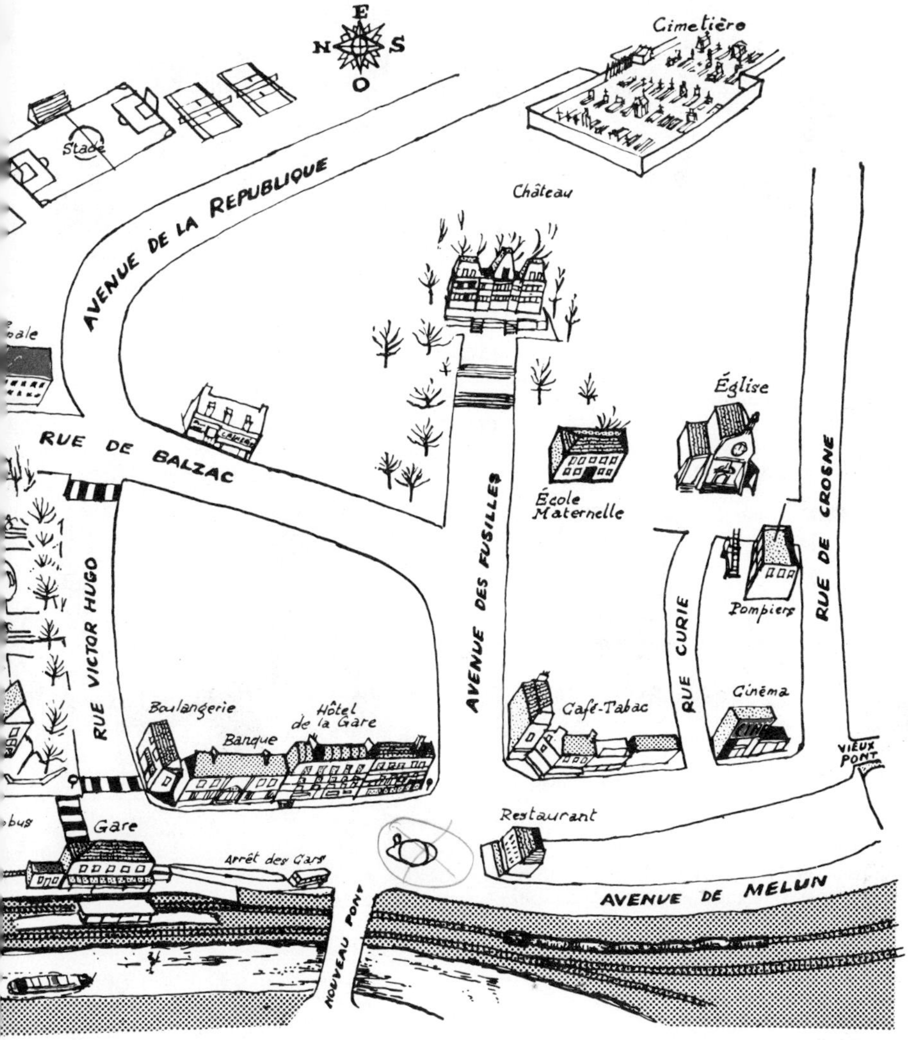

PRENDRE—*(to take)*

Je prends la première rue à gauche.

Tu prends du sucre dans ton thé.

Il prend son chapeau.

Nous prenons l'autobus.

Vous prenez une place près de moi.

Ils prennent un médicament.

paresseux (paresseuse) *lazy*

---

continuer *to continue*
emprunter *to borrow*
tourner *to turn*

---

l'est *east*
le nord *north*
l'ouest *west*
le sud *south*

à votre service *at your service*
de rien! *don't mention it!*
deuxième *second*
en face de *opposite*
fermé *closed*
jusqu'à *right to*
municipal *municipal (belonging to the town)*
près de *near*
tout droit *straight on*
troisième *third*

A ***Where is . . .?*** **Où se trouve . . .?**
Employez 'près de' et 'en face de' dans vos réponses:

(1) la gare.
(2) la Poste.
(3) le collège.
(4) la rue Pasteur.
(5) l'hôtel de ville.
(6) l'Hôtel de la Gare.
(7) l'école maternelle.
(8) le parking.
(9) l'école primaire.
(10) la banque.

B **Vous êtes l'agent devant la gare. Que répondez-vous quand des visiteurs demandent le chemin pour aller—**

(1) à l'église.
(2) au château.
(3) au stade.
(4) à l'hôpital.
(5) au vieux pont.

C
Dessinez un plan de votre ville (ou de votre quartier). Décrivez votre route quand vous allez à la bibliothèque ou à l'église.

LA JOURNÉE DE LA FAMILLE BERTILLON I

1. Le réveille-matin sonne à six heures et quart chez les Bertillon. Papa se lève le premier car il commence à travailler à sept heures précises. Toujours fatigué, il se rase dans la salle de bains.

2. Après, dans la cuisine, il prend son petit déjeuner. Ah, c'est curieux! Il est sept heures moins le quart à la pendule et seulement sept heures moins vingt à sa montre. Est-ce que sa montre retarde ou est-ce que la pendule avance? Vite, en route!

3. À sept heures et demie maman se lève et prépare les croissants, les tartines et le café au lait pour le petit déjeuner des enfants. Alain se lève aussi et s'habille, mais Philippe est toujours au lit. Il n'aime pas se réveiller et il déteste se lever. Marie-Claude se lave dans la salle de bains et prend toute l'eau chaude avant Philippe.

4. À huit heures dix Philippe et Marie-Claude quittent la maison car les classes commencent à huit heures et demie. Alain reste à la maison avec sa mère—il est trop jeune pour aller à l'école.

5. À dix heures tout le monde travaille.
À Orly M. Bertillon examine les valises des voyageurs.

6. À l'école Marie-Claude regarde le tableau noir et donne une bonne réponse.

7. Au collège Philippe écoute son professeur et parle anglais, mais il ne parle pas très bien aujourd'hui.

8. En ville, Mme Bertillon et Alain entrent dans les boutiques et achètent des provisions pour la famille. Alain aide sa maman—il porte son panier.

9. À onze heures et demie les enfants quittent l'école et se dépêchent de rentrer à la maison car ils ont faim. Ils arrivent chez eux à midi moins le quart.

10. Mme Bertillon prépare un bon déjeuner. Il y a de la viande et des frites. À midi toute la famille déjeune (sauf papa—il reste à Orly). Marie-Claude est contente parce qu'elle a une bonne note ce matin. Philippe garde le silence car il a une mauvaise note. Lui, il ne parle pas, mais il mange beaucoup!

---

le café au lait *white coffee*
le déjeuner *lunch*
le matin *morning*
le panier *basket*
le petit déjeuner *breakfast*
le réveille-matin *alarm clock*

l'eau *water*
la frite *chip*
une horloge *public clock*
la journée *day's activity*
la note *mark (in school)*
les provisions *foodstuffs*
la tartine *slice of bread and butter*
la viande *meat*

chaud *hot*
curieux (curieuse) *curious*
jeune *young*

avancer *to be fast (of a clock)*
déjeuner *to have lunch*
se dépêcher *to hurry*
garder le silence *to keep quiet*
s'habiller *to get dressed*
se laver *to wash oneself*
se lever *to get up (like* acheter*)*
parler anglais *to speak English*
se raser *to shave oneself*

retarder *to be slow (of a clock)*
se réveiller *to wake up*
sonner *to ring*

à table! *breakfast (dinner, etc.) is ready!*
avant *before*
quelle barbe! *what a bore!*

REFLEXIVE VERBS

Je me réveille,
mais **je ne me lève pas.**

Tu te lèves,
mais **tu ne t'habilles pas** vite.

Philippe **se lève,**
mais **il ne se rase pas.**

Nous nous levons,
mais **nous ne nous dépêchons pas.**

Vous vous habillez,
mais **vous ne vous dépêchez pas.**

Ils se dépêchent,
mais **ils ne se lavent pas.**

A Il s'habille vite, et vous?
Oui, je m'habille vite aussi.
ou
Non, je ne m'habille pas vite.

Répondez:
1) À sept heures et demie maman prépare le petit déjeuner, et son fils?
2) À sept heures et demie Marie-Claude se lave dans la salle de bains, et Alain?
3) Philippe ne se lève pas très vite, et vous?
4) Je m'habille très vite, et vous?
5) M. Bertillon se lève tous les jours, et ses enfants?
6) Je me rase tous les soirs, et votre papa?
7) Philippe se lave toujours les genoux, et vous?
8) Philippe se dépêche de rentrer à la maison après les classes, et nous?
9) Les élèves se dépêchent toujours d'aller au collège, et les professeurs?
10) Votre professeur se lave tous les matins, et ses élèves?

B **Répondez:**
(1) Est-ce que vous vous réveillez à cinq heures?
(2) Est-ce que vous vous levez quand le réveille-matin sonne?
(3) Est-ce que votre père se lève après votre mère?
(4) Est-ce qu'un chat se lave les oreilles?
(5) Est-ce que les méchants garçons se dépêchent d'arriver à l'école?
(6) Est-ce que votre maman se rase tous les jours?
(7) Est-ce que vous vous lavez tous les jours?
(8) Est-ce qu'un très petit enfant s'habille lui-même?
(9) Est-ce que les petits garçons se rasent d'habitude?
(10) Est-ce que vous vous levez à toute vitesse?

What time is it? Quelle heure est-il?

Le réveille-matin sonne.

Il est six heures précises.

Voici la pendule de la cuisine.

Il est sept heures dix.

Voici la pendule du salon.

Il est sept heures et quart.

Voici la montre de papa.

Il est sept heures et demie.

Voici la montre de maman.

Il est huit heures moins vingt.

Philippe mange une tartine.

Il est huit heures moins le quart.

Voici l'horloge de l'école.

Il est midi ou minuit.

Voici l'horloge de l'église.

Il est midi (ou minuit) et demi.

C **Répondez:**
(1) À quelle heure est-ce que le facteur arrive chez vous?
(2) À quelle heure est-ce que vous vous levez le samedi?
(3) À quelle heure est-ce que votre papa se rase?
(4) À quelle heure est-ce que les classes commencent dans votre collège?
(5) À quelle heure est-ce qu'on prend le petit déjeuner chez vous?
(6) À quelle heure est-ce que vous quittez la maison pour le collège?
(7) À quelle heure est-ce que votre papa quitte la maison pour son travail?
(8) À quelle heure est-ce que vous déjeunez au collège?
(9) À quelle heure est-ce que vous déjeunez le dimanche?
(10) À quelle heure est-ce que votre maman déjeune chez elle?

LA JOURNÉE DE LA FAMILLE BERTILLON II

1. À une heure et quart Philippe et Marie-Claude retournent à l'école parce que les classes recommencent à une heure et demie de l'après-midi.

2. Pendant l'après-midi Mme Bertillon et Alain vont au parc. Mme Bertillon rencontre ses amies et elles s'installent sur un banc. Elles tricotent, elles bavardent, elles sont contentes. Alain joue à cache-cache avec ses petits amis. D'abord un enfant se cache derrière un arbre et puis les autres enfants cherchent l'enfant caché.

3. Marie-Claude rentre à quatr heures. Elle arrive avant son frèr car il reste au collège jusqu'à quatr heures et demie. Elle prend so goûter—des tartines avec de l confiture de fraises.

4. Quand Philippe rentre enfin, il prend aussi son goûter. Puis il commence tout de suite ses devoirs. Il a beaucoup de travail mais malheureusement Alain joue dans le salon. Il fait beaucoup de bruit et dérange son grand frère. C'est impossible! Philippe ne peut pas travailler dans le salon. Enfin il monte dans sa chambre.

5. À sept heures et quart du soir, papa rentre à la maison après sa journée de travail. Il est fatigué et il a faim.

6. Quelques minutes plus tard, c'est l'heure du dîner. Il y a un très bon repas ce soir. Il y a de la viande, des carottes, des pommes de terre, un dessert et des fruits. Bravo, maman!

7. Après le repas, papa s'installe dans un fauteuil confortable devant le poste de télévision. Il allume sa pipe et regarde les actualités télévisées à huit heures du soir. Les enfants jouent avec Kiki et Miquet—mais ils ne font pas trop de bruit.

8. Bientôt les enfants se couchent. Alain monte l'escalier le premier à huit heures et quart, puis Marie-Claude à neuf heures et enfin Philippe se couche à neuf heures et demie. Quand tous les enfants sont couchés, papa et maman peuvent se reposer—quelle joie!—un peu de calme enfin. Le chien et le chat sont contents aussi.

9. À minuit toute la famille Bertillon est au lit. Bonne nuit, tout le monde! Dormez bien!

---

le banc *bench*
le bruit *noise*
le calme *quietness*
le dessert *sweet*
le dîner *dinner*
le fruit *fruit*
le travail *work*

les actualités télévisées *T.V. News*
une amie *friend* (*fem.*)
la carotte *carrot*
la confiture *jam*
la fraise *strawberry*
la pomme de terre *potato*

caché *hidden*
confortable *comfortable*
impossible *impossible*

allumer *to light*
bavarder *to chatter, gossip*
se cacher *to hide*
se coucher *to go to bed*
déranger *to disturb* (nous dérangeons)
dire *to say, tell* (regardez page 45)
s'installer *settle oneself*
jouer à cache-cache *to play hide-and-seek*

recommencer *to start again* (nous recommençons)
se reposer *to rest*
retourner *to go back, return*
tricoter *to knit*

dormez bien! *sleep well!*
du matin *a.m.*
de l'après-midi *p.m.* (avant 17 heures)
du soir *p.m.* (après 17 heures)
je ne sais pas *I don't know*
jusqu'à *until*
quelle joie! *what joy!*
tais-toi!
taisez-vous! *shut up!*
un peu de *a bit of*

GIVING ORDERS WITH REFLEXIVES

Lève-toi!

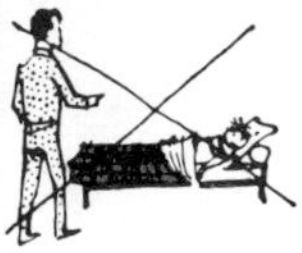

Ne te lève pas!

Dépêchons-nous!

Ne nous dépêchons pas!

Installez-vous là!

Ne vous installez pas là!

A Répondez:

(1) Que dit le père?

(3) Que dit le général?

(2) Que dit le professeur?

(4) Que dit la mère?

(5) Que dit le médecin?

B VOTRE JOURNÉE

Décrivez votre journée en dix phrases de sept à onze mots. Commencez toutes vos phrases: À huit heures du matin, etc., je . . .

du matin	de l'après-midi	du soir
(1) 8 h	(5) 12 h 45	(8) 5 h 45
(2) 9 h 30	(6) 3 h	(9) 6 h 35
(3) 11 h 15	(7) 4 h 05	(10) 11 h 10
(4) 11 h 59		

WHICH? WHAT?

Quel homme?

Quels livres?

Quelle femme?

Quelles chaises?

C ***Find questions which could have produced these answers. Use some form of*** **«Quel?»** ***in each sentence you invent.***

(1) Madame Bertillon achète «Elle».
(2) Le facteur arrive à huit heures moins le quart.
(3) Nous sommes mardi aujourd'hui.
(4) Mon nom de famille est Durand.
(5) Papa a trente-cinq ans.
(6) Je me lève à six heures du matin.

DIRE—***(to say)***

Je dis au revoir à mes amis.

Tu dis bonjour à ta mère.
Dis-moi bonjour, chérie!

Elle dit merci pour le cadeau.

Nous disons pardon à la vieille dame.

Vous dites Bonne Année à tout le monde.
Dites au revoir à vos amis!

Ils disent Joyeux Noël à leur oncle.

D Répondez:

(1) Que dis-je?

(4) Que dites-vous?

(2) Que dit l'agent?

(5) Que dis-tu?

(3) Que dit l'enfant?

(6) Que disent-elles?

E Complétez:

(1) Voici ma montre. Il est ——. Mais non, elle avance de cinq minutes. En réalité il est——.

(2) Voici la montre de Maman. Il est ——. Mais non, elle avance d'un quart d'heure. En réalité il est ——.

(3) C'est la pendule du salon. Il est ——. Mais non, elle retarde d'une heure. En réalité il est ——.

(4) C'est le réveille-matin. Il est ——. Il retarde de dix minutes. La famille Bertillon va se lever à —— au lieu de six heures et demie.

VOICI LE BULLETIN DE LA MÉTÉOROLOGIE NATIONALE . . .

3 JANVIER

1. Aujourd'hui il fait froid 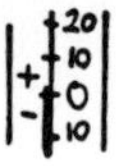

(il gèle). Il neige,  surtout dans les Alpes et dans les Pyrénées. Il fait un temps excellent pour les skieurs,  mais quand vous marchez dans la rue, faites attention à la glace  (ne glissez pas!). Quand vous êtes en voiture,  roulez lentement!

5 MARS

2. Aujourd'hui il fait mauvais.  Le ciel est couvert de nuages gris,  et il pleut.  Il fait assez froid 

(mais il ne gèle pas). Quand vous quittez la maison, n'oubliez pas votre parapluie!  Nous disons qu'il va faire un temps de chien.

26 AVRIL

3. Aujourd'hui il fait du vent.  Il fait assez 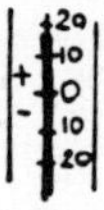

chaud (il fait dix-sept degrés). Si vous faites une promenade, prenez votre imperméable,  car il va peut-être pleuvoir.  Attention à votre chapeau! 

26 JUIN

4. Il fait très beau aujourd'hui.  Le soleil brille,  le ciel est bleu et il fait très chaud. 

Si vous êtes au bord de la mer,  n'oubliez pas vos lunettes de soleil,  et votre bouteille d'Ambre Solaire! 

29 AOÛT

5. Il fait très chaud, 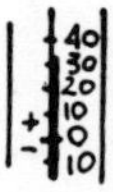

mais le vent ne souffle pas,  et il fait très lourd.  Il y a quelques nuages noirs.  Attention! ce soir il va faire de l'orage, avec des éclairs  et du tonnerre. BROUUM

Vous dites peut-être que c'est impossible, mais vous avez tort.

3 NOVEMBRE

6. Il fait mauvais ce matin.  Il fait froid,  et il fait du brouillard.  À Orly les pilotes  disent que les avions ne peuvent pas quitter l'aéroport à cause du brouillard. Si vous marchez dans la rue, restez toujours sur le trottoir.  Si vous êtes en voiture, ne roulez pas trop vite!

---

l'automne *autumn*
le brouillard *fog*
le bulletin *report*
le ciel *sky*
un éclair *flash of lightning*
l'été *summer*
l'hiver *winter*
un imperméable *raincoat*
le nuage *cloud*
un orage *storm*
le parapluie *umbrella*
le pilote *pilot*

le printemps *spring*
le skieur *skier*
le soleil *sun*
le temps *weather*
le tonnerre *thunder*
le trottoir *pavement*
le vent *wind*

les Alpes *the Alps*
la glace *ice*
la mer *sea*
la météorologie nationale *National weather office*
les Pyrénées *the Pyrenees*

---

couvert de *covered with*
froid *cold*
lourd *heavy, sultry*

briller *to shine*
il fait de l'orage *it is stormy*
il fait du vent *it is windy*
il fait un temps de chien *it's wretched weather*
geler (il gèle) *to freeze*
glisser *to slip*
neiger *to snow*
pleuvoir (il pleut) *to rain*
rouler *to drive*

à cause de *because of*
assez *rather, fairly*
lentement *slowly*
tout *everything*

FAIRE—*(to do, make)*

Je fais mes devoirs.

Qu'est-ce que **tu fais,** méchant garçon?

Fais toujours de ton mieux! (*Always do your best.*)

Philippe **fait** une promenade.

Nous faisons un gâteau pour Alain.

Faisons nôtre travail!

Vous faites des progrès.

Faites attention!

Trois fois deux **font** six.

egardez ces images. Quel temps fait-il? Proposez une ate possible.

(1) 

(2) 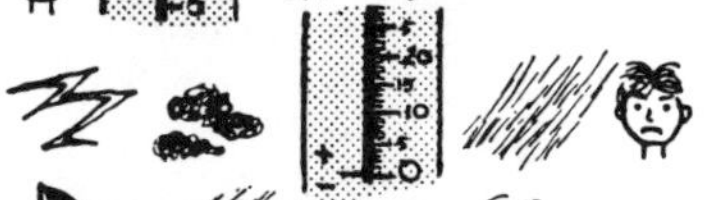

(3) 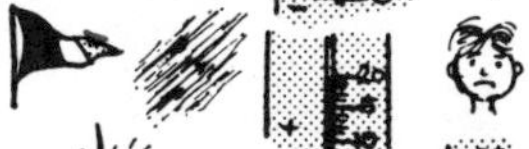

(4) 

(5) 

(6) 

3 LES QUATRE SAISONS

Vrite a short description of the weather in each of the four easons of the year. Using the pictures on this page as a guide, ay what people wear and what they do in the various weather onditions.

AU PRINTEMPS

EN ÉTÉ

EN AUTOMNE

EN HIVER

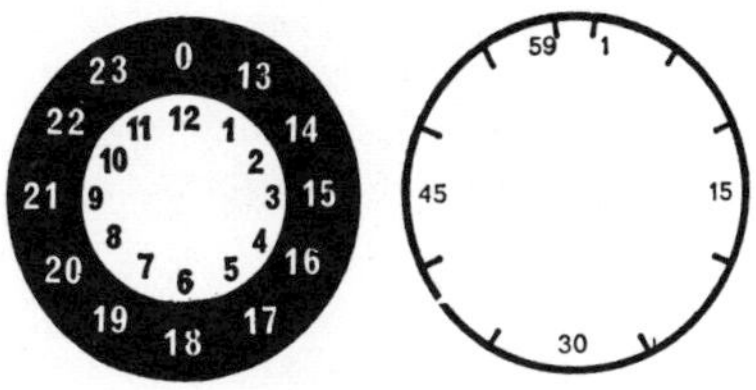

C QUELLE HEURE EST-IL?

Reply using ordinary time, e.g.

Il est deux heures moins vingt-cinq de l'après-midi.

and then using the 24-hour system, e.g.

Il est treize heures trente-cinq.

(1) 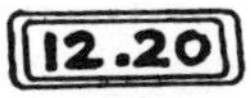

(3) 

(5) 

(2) 

(4) 

(6) 

$$4 \times 4 = 16$$

Quatre fois quatre font seize

D Calculez:

(1) $8 \times 7 =$
(2) $7 \times 3 =$
(3) $12 \times 4 =$
(4) $10 \times 5 =$
(5) $11 \times 3 =$
(6) $7 \times 7 =$
(7) $6 \times 9 =$
(8) $6 \times 11 =$
(9) $12 \times 5 =$
(10) $15 \times 3 =$

RÉVISION

A **Répondez:** ***(Use one of the following in every answer:* moi, toi, lui, elle, nous, vous, eux, elles.)**

(1) Avec qui est-ce qu'il marche, avec maman ou papa?

(2) À qui est le scooter, à Monsieur ou à Madame Bertillon?

(3) Qui joue au football, Philippe ou sa sœur?

(4) Qui lave Alain?

(5) Est-ce qu'il est au cinéma ou à la maison?

(6) Qui travaille dans la boutique, Tante Marguerite ou Charles?

(7) Qui marche devant papa?

(8) Qui lave les pull-overs de Maman?

B **QUELLE EST LA DATE AUJOURD'HUI?**
dim. 25-II.
C'est le dimanche vingt-cinq février.

(1) jeu. 1-X.
(2) lun. 11-II.
(3) mar. 13-IV.
(4) ven. 23-I.
(5) sam. 1-VI.
(6) mer. 30-VII.
(7) dim. 29-III.
(8) mer. 14-VII.
(9) lun. 18-XI.
(10) mar. 2-XII.
(11) jeu. 25-XII.
(12) mar. 1-I.
(13) dim. 22-IV.
(14) ven. 9-IX.
(15) ven. 31-V.
(16) sam. 12-VIII.
(17) lun. 1-VIII.
(18) jeu. 2-VII.
(19) mar. 8-VI.
(20) ven. 11-X.

MARIE-CLAUDE FAIT LES ACHATS. VOICI LA LISTE DES ACHATS...

C **Complétez avec du, de la, de l', des:**
Elle va acheter —— pain, —— gâteaux, —— sucettes, —— tabac, —— chocolat, —— médicaments, —— lait, —— allumettes, —— beurre et —— timbres.

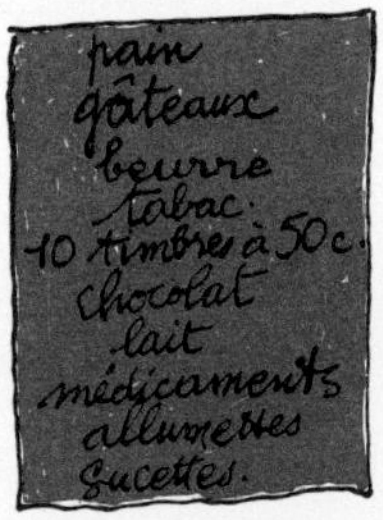

D **Répondez:**
(1) Qu'est-ce qu'elle va acheter à la confiserie?
(2) Qu'est-ce qu'elle va acheter à la boulangerie?
(3) Qu'est-ce qu'elle va acheter à la pharmacie?
(4) Qu'est-ce qu'elle va acheter au bureau de tabac?
(5) Qu'est-ce qu'elle va acheter à la crémerie?

E Est-ce qu'elle va acheter du pain?
Non, elle ne va pas acheter de pain.
(1) Est-ce qu'elle va acheter des œufs?
(2) Est-ce qu'elle va acheter du café?
(3) Est-ce qu'elle va acheter des biscuits?
(4) Est-ce qu'elle va acheter des chaussettes?
(5) Est-ce qu'elle va acheter de la crème?

F **Répondez:**
(1) Où est-ce qu'elle va acheter les sucettes?
(2) Où est-ce qu'elle va acheter les gâteaux?
(3) Où est-ce qu'elle va acheter les timbres?
(4) Où est-ce qu'elle va acheter le chocolat?
(5) Où est-ce qu'elle va acheter le lait?

«VOICI QUELQUES PHOTOS DE L'ALBUM FAMILIAL», DIT PHILIPPE.

G **Complétez:**

(1) Voici —— famille: —— papa, —— mère, —— sœur, et Alain, —— petit frère.

(2) Voici —— jardin et —— maison. Regardez —— garage et —— vélos.

(3) Voici —— sœur avec —— beau chapeau, —— belle robe, et —— souliers noirs.

(4) Voici —— oncle Charle[s] et —— tante Marie ave[c] —— fils et —— fille et —— deux chats.

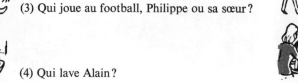

RÉVISION

 **Voici le médicament du pharmacien**

(1) 

(6) 

(2) 

(7) 

(3) 

(8) 

(4) 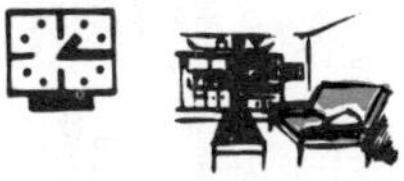

(9) 

(5) 

(10) 

JACQUES A DIT . . .

A game like 'O'Grady says . . .'

You do nothing you are ordered unless the order begins with «Jacques a dit . . .»

Play the first round with commands connected with parts of the body (levez la main! etc.), and the second with reflexive commands (ne vous levez pas! etc.).

Those who make a false move are out. The winner is the last pupil to survive, or each section can compete to see which has the smallest number of pupils out after ten minutes.

J Répondez:

 (1) Qu'est-ce que je fais, Alain?

 (2) Qu'est-ce que tu fais, Marie-Claude?

 (3) Que fait Philippe?

 (4) Que fait papa?

 (5) Qu'est-ce que nous faisons, les enfants?

 (6) Qu'est-ce que vous faites, Alain et Philippe?

 (7) Que font le chien et le chat?

 (8) Que font les parents?

 (9) Que fait M. Colin?

 (10) Qu'est-ce que nous faisons, maman?

K QUELLE HEURE EST-IL?

(a) Il est dix heures du soir.

(b) Il est vingt-deux heures.

Répondez:

(1) Quelle heure est-il à la page 12?
(2) Et à la page 15?
(3) Et à la page 16?
(4) Et à la page 44?
(5) Et à la page 42?
(6) Et à la page 60?
(7) Et à la page 28?
(8) Et à la page 55?
(9) Et à la page 54?
(10) Et à la page 41?

L Voici un garçon. Il est petit.

Voici un petit garçon.

(1) Voici une maison. Elle est belle.
(2) Voilà les arbres. Ils sont beaux.
(3) Voici un collège. Il est nouveau.
(4) Voilà l'école. Elle est vieille.
(5) Voici l'arbre. Il est beau.
(6) Voici cinq objets. Ils sont beaux.
(7) Voilà les hommes. Ils sont vieux.
(8) Voici le pharmacien. Il est nouveau.
(9) Voilà les églises. Elles sont nouvelles.
(10) Voici l'élève. Il est nouveau.

M QUEL TEMPS FAIT-IL?

À Villeneuve on n'écoute pas les bulletins de la météorologie nationale à la radio ou à la télévision.

Qu'est-ce qu'on fait alors? C'est simple. On regarde le parapluie de Grand-mère Bertillon. C'est un très vieux parapluie noir. Regardez son parapluie vous-mêmes et répondez.

(1) 

(5) 

(2) 

(6) 

(3) 

(7)

(4) 

(8) 

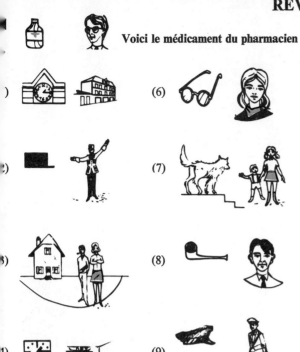

LA FÊTE DE NOËL

1. C'est le mois de décembre et la fête de Noël approche. Un jour M. Bertillon rentre chez lui, les bras pleins de paquets mystérieux. Qu'y a-t-il dans les paquets? Les enfants ne savent pas encore. Ce sont les cadeaux de Noël.

2. Que peut-on acheter pour papa? Voilà le problème. «D tabac», pense Philippe, «mais non, papa renonce bientôt à pipe.» «Des chaussettes», pense Marie-Claude, «mais non, en a déjà cinq paires.» «Des bonbons», pense Alain, «ma non, il n'aime pas les bonbons.» «Un nouvel imperméable pense maman, «mais non, c'est trop cher.»

3. La veille de Noël (le 24 décembre) Mme Bertillon prépare un réveillon magnifique. Quand ils rentrent de la messe de minuit, ils s'installent devant une grosse dinde, avec des légumes et une bonne bouteille de vin rouge. Après il y a le gâteau—une grosse bûche de Noël, et des fruits et des noix. Malheureusement, Alain n'est pas là; il est trop jeune et il est déjà au lit.

4. Enfin les enfants se couchent. Ils laissent leurs soulie devant la cheminée. Philippe et Marie-Claude savent qu le Père Noël est en réalité leur père mais à cause de leu petit frère ils laissent aussi leurs souliers devant la cheminé

5. Le vingt-cinq décembre arrive enfin. Après un petit déjeuner très rapide, les enfants vont prendre leurs cadeaux près du beau sapin de Noël. Ils ouvrent les paquets mystérieux et regardent avec plaisir leurs cadeaux. Il y a un Meccano pour Alain (et aussi des bonbons), une nouvelle serviette pour Marie-Claude (et aussi une jolie robe de fête), et un avion et des jeux pour Philippe. Maman trouve dans ses paquets un tablier, une paire de bas et une bouteille de parfum. Miquet a un ruban et Kiki trouve un os délicieux. Tout le monde est très content. . . .

6. Sauf papa. Savez-vous pour quoi? Il a quatre cravates!

---

le légume *vegetable*
un os *bone*
le parfum *perfume*
le problème *problem*
le réveillon *midnight supper*
le ruban *ribbon*
le sapin de Noël *Christmas tree*
le secret *secret*
le vin *wine*

la bûche *log*
la dinde *turkey*
la fête de Noël *Christmas*
la messe *Mass*
la noix *nut*
la paire *pair*
la veille *eve, day before*

magnifique *magnificent*
rapide *rapid, quick*

approcher *to approach*
laisser *to leave*
penser *to think*
renoncer à *to give up* (nous renonçons)
savoir *to know* (regardez page 51)

avec plaisir *with pleasure*
chut! *hush!*
en réalité *actually, in reality*

SAVOIR ***to know something (but not someone); to know how to do something.***

Je sais le français.

Tu sais le secret.

Il sait l'heure.

Nous savons votre prénom, monsieur.

Vous savez jouer au football.

Ils savent faire la cuisine.

A Répondez:

1) Marie-Claude et Philippe savent le secret du Père Noël, et leur petit frère?
2) Philippe ne sait pas parler italien, et Alain?
3) Papa sait où sont les cadeaux, et ses enfants?
4) Votre professeur sait le français, et vous?
5) Grand-mère Duvivier sait monter à vélo, et sa petite-fille?
6) Marie-Claude sait faire des gâteaux, et moi?
7) Je ne sais pas la date d'aujourd'hui, et vous?
8) L'agent sait l'heure exacte, et vous?
9) Je ne sais pas s'il va pleuvoir samedi, et la météorologie nationale?
10) Je sais parler italien, et vos parents?

B Philippe va au collège.
Philippe va-t-il au collège?

1) Marie-Claude va au théâtre jeudi.
2) M. Bertillon est le Père Noël en réalité.
3) M. Bertillon trouve des bas dans ses paquets.
4) Maman ne trouve pas de bas dans ses paquets.
5) Les enfants mangent de la dinde à Noël.
6) Le Père Noël ne s'amuse pas en décembre.
7) Philippe et Alain ne se lavent pas bien tous les matins.
8) Les enfants se réveillent tôt le vingt-cinq décembre.
9) M. et Mme Bertillon se couchent après minuit.
10) Papa ne se rase pas le samedi.

QUE SAIS-JE?

For this vocabulary quiz, the form is divided into two equal teams. The team members alternately challenge their opposite number by asking **«Sais-tu le mot français pour** ***a —— ?»***

To fill the blank they may choose any English word that has occurred in a vocabulary so far.

If the player challenged gives the correct French equivalent (not forgetting **un** ***or*** **une*****), he wins one point. If he answers incorrectly (sole judge and arbiter: your teacher), the challenging team win one point if they can provide the right answer. A mistake with*** **un** ***or*** **une** ***means the loss of half a point.***

Books are kept shut throughout.

ANOTHER WAY OF ASKING QUESTIONS

Est-ce que je peux quitter la salle, monsieur?

Puis-je quitter la salle, monsieur? (-ER *verbs usually use* est-ce que *with* je.)

Est-ce que tu ne vas pas te lever aujourd'hui?

Ne vas-tu pas te lever aujourd'hui?

Est-ce qu'Alain porte un parapluie?

Alain **porte-t-il*** un parapluie?

Est-ce qu'elle a la taille mince?

A-t-elle* la taille mince?

Est-ce qu'on danse dans les rues?

Danse-t-on* dans les rues?

Est-ce que nous nous installons à table?

Nous installons-nous à table?

Est-ce que vous ne vous amusez pas, mes élèves?

Ne vous amusez-vous pas, mes élèves?

Est-ce que Philippe et Alain savent allumer la chaudière?

Philippe et Alain **savent-ils** allumer la chaudière?

All -ER verbs plus **avoir** ***have this extra -t with*** **il, elle** ***and*** **on,** ***e.g.*** **Va-t-il? Parle-t-on? Porte-t-elle?**

C Il va à l'église.
Va-t-il à l'église?

Il ne va pas à l'église.
Ne va-t-il pas à l'église?

(1) Elle arrive à la gare à sept heures.

(2) Il y a des fleurs dans le vase.

(3) Philippe achète une baguette.

(4) On se lève à huit heures.

(5) Les trois enfants s'amusent devant le poste de télévision.

(6) Vous ne vous couchez pas avant minuit.

(7) Elle ne s'habille pas elle-même.

(8) M. Bertillon ne se dépêche pas d'aller à son travail.

(9) On ne s'installe pas près de la chaudière.

(10) Nous ne nous réveillons pas à cinq heures.

L'HISTOIRE DU PREMIER NOËL

1. Un jour en hiver Joseph le charpentier de Nazareth et sa femme, Marie, arrivent dans la ville de Bethléhem. Ils ont froid et ils sont très fatigués. Ils vont à l'auberge chercher une chambre pour la nuit. Malheureusement, il y a beaucoup de visiteurs à Bethléhem et donc il n'y a pas de place pour les deux voyageurs de Nazareth. Il y a seulement une petite étable.

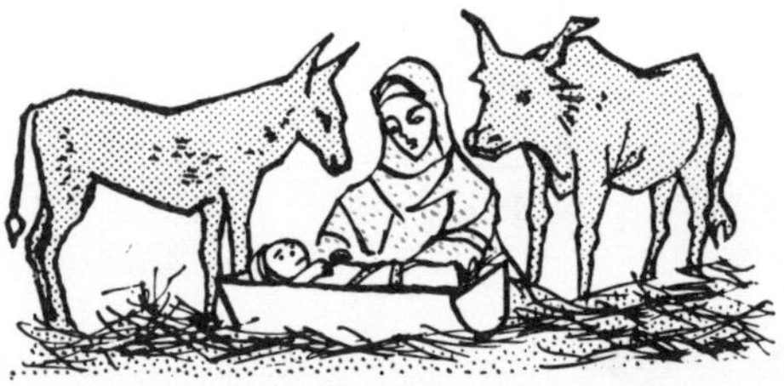

2. Ils s'installent dans l'étable avec les animaux. Le bœu et l'âne sont très curieux de savoir pourquoi Joseph e Marie sont là. Pendant la nuit le premier enfant de Mari est né—c'est un garçon. Joseph fait un lit de foin et Mari couche le petit bébé dans la crèche.

3. Dans les champs près de Bethléhem, les bergers gardent leurs troupeaux de moutons. Soudain, voici un ange qui annonce la bonne nouvelle: «Aujourd'hui dans la ville de David est né un Sauveur, qui est le Christ, le Seigneur. Gloire à Dieu, paix sur la terre.» Les pauvres bergers ne comprennent pas et ils ont peur.

4. Les bergers se dépêchent d'aller vers Bethléhem et, à leu grande surprise, trouvent le petit enfant dans la crèche parm les animaux. Pleins de joie et d'admiration, ils regardent l bébé et ils parlent à Marie et à Joseph, mais tout doucement sans réveiller le petit Jésus.

5. Peu après, trois Rois Mages arrivent à Jérusalem car ils cherchent le nouveau «roi des Juifs». Ils regardent le ciel et remarquent une belle étoile dans la région de Bethléhem. L'étoile marche devant les Rois Mages et s'arrête enfin au-dessus de la petite maison où se trouve l'enfant.

6. Pleins de joie, les trois riches voyageurs entrent dans la pauvre étable et trouvent le petit Jésus avec Marie sa mère. À genoux devant le bébé, ils offrent leurs trésors—de l'or, de l'encens et de la myrrhe.

---

un **âne** *ass*
un **ange** *angel*
un **animal (-aux)** *animal*
le **berger** *shepherd*
le **bœuf** *ox*
le **champ** *field*
le **charpentier** *carpenter*
Dieu *God*
l'**encens** *frankincense*
le **foin** *hay*
les **Juifs** *Jews*
le **mage** *wise man*
le **mouton** *sheep*

l'**or** *gold*
le **roi** *king*
le **Sauveur** *Saviour*
le **Seigneur** *Lord*
le **trésor** *treasure*
le **troupeau (-x)** *flock*

l'**admiration** *admiration*
une **auberge** *inn*
la **crèche** *manger*
une **étable** *cattle-shed*
une **étoile** *star*
la **gloire** *glory*
une **histoire** *story*
la **joie** *joy*
la **myrrhe** *myrrh*
la **nouvelle** *news*
la **paix** *peace*
la **région** *region*
la **terre** *earth*

annoncer *to announce* (nous annonçons)
s'arrêter *to stop*
avoir peur *to be afraid*
comprendre *to understand* (*like* prendre)
coucher *to lay down*
garder *to watch over*
remarquer *to notice*
réveiller *to wake up* (*someone else*)

à genoux *kneeling*
au-dessus de *above*
est né *is born*
peu après *shortly afterwards*
qui *who, which*
tout doucement *quite quietly*

IL EST NÉ, LE DIVIN ENFANT

(Chorus) Il est né, le divin enfant, Jouez, hautbois, résonnez, musettes; Il est né, le divin enfant, Chantons tous son avènement.	 *The Holy Child is born,* *Play, oboes, sound forth, pipes;* *The Holy Child is born.* *Let us all sing of his coming.*
1. Depuis plus de quatre mille ans Nous le promettaient les prophètes. Depuis plus de quatre mille ans Nous attendions cet heureux temps. (Chorus)	*For more than four thousand years* *The prophets had promised him us;* *For more than four thousand years* *We had been awaiting this happy time.*
2. Ah, qu'il est beau, qu'il est charmant, Ah, que ses grâces sont parfaites. Ah, qu'il est beau, qu'il est charmant, Qu'il est doux, ce divin enfant. (Chorus)	*How beautiful, how charming he is,* *He is perfect in every way.* *How beautiful, how charming,* *How gentle is this Holy Child.*
3. O Jésus, O roi tout-puissant Tout petit enfant que vous êtes, O Jésus, O roi tout-puissant, Régnez sur nous entièrement. (Chorus)	*O Jesus, all-powerful King* *Tiny child that you are.* *O Jesus, all-powerful King* *Reign over us completely.*

MON BEAU SAPIN

Mon beau sapin, roi des forêts, Que j'aime ta verdure; Quand en hiver bois et guérets Sont dépouillés de leurs attraits, Mon beau sapin, roi des forêts, Tu gardes ta parure.	*My beautiful fir-tree,* *King of the forests,* *How I love your greenery;* *When in winter the* *woods and the fields* *Are stripped of their beauty,* *My beautiful fir-tree,* *King of the forests,* *You keep your finery.*
Toi que Noël planta chez nous Au saint anniversaire; Joli sapin, comme ils sont doux Et tes bonbons et tes joujoux. Toi que Noël planta chez nous Par la main de ma mère.	*You whom Christmas* *planted in our house* *For the Holy Birthday,* *Pretty fir-tree, how* *pleasant are* *Both your sweets* *and your toys.* *You whom Christmas* *planted in our home* *By my mother's hand.*

LES BONNES RÉSOLUTIONS

C'est le premier janvier, le jour de l'an. Tous les Bertillon sont chez eux car c'est un dimanche et personne ne va au travail. Papa peut se reposer un peu. Les autres prennent déjà leur petit déjeuner quand papa entre enfin dans la cuisine.

* * *

Papa: Bonne année, tout le monde.
Les enfants: Merci, papa, bonne année à toi aussi.

Papa: Et bon anniversaire, Alain.

Alain: Merci papa. J'ai cinq ans maintenant. Je suis un grand garçon, n'est-ce pas?

Philippe: Ah oui, bien sûr!

Maman: Jean, voici ton café au lait. Prends une tartine!

Papa: Merci, chérie. Moi, j'aime bien le petit déjeuner du dimanche et ma bonne tasse de café au lait. Philippe, apporte le nouveau calendrier, s'il te plaît. Il est sur la bibliothèque. Il faut toujours attacher le nouveau calendrier au mur le premier janvier.

Philippe: Voilà, papa.

Maman: Et en même temps il faut prendre une bonne résolution. Que vas-tu faire, chéri?

Papa: Moi? Oh rien! C'est ridicule, tout cela. Personne ne fait plus cela aujourd'hui.

Maman: Mais si, et je pense que c'est une très bonne idée. Par exemple, tu sais que tu fumes trop et que le tabac est mauvais pour ta santé.

Papa: Oui, mais je ne fume jamais de cigarettes, je ne fume que ma pipe.

Maman: Mais tu as souvent mal à la gorge, n'est-ce pas?

Papa: Ah oui, tu as raison peut-être. Bon, je renonce à ma pipe et en même temps je fais des économies. Tu es contente maintenant?

Maman: Oui, c'est une très bonne résolution. Et moi . . .? Qu'est-ce que je vais faire? Ça y est, je ne mange plus de bonbons. Ils sont mauvais pour les dents et aussi pour ma ligne. Malheureusement je n'ai plus ma jolie taille élégante.

Papa: C'est vrai. Tu n'es plus très mince. . . . Mais je remarque que les enfants ne disent rien. Il faut trouver des résolutions pour eux. Philippe, par exemple.

Philippe: Non, je ne prends jamais de bonnes résolutions. Elles sont trop difficiles pour moi.

Maman: Mais tu n'es plus un bébé, tu vas faire un effort. Moi, je pense que tu fais tes devoirs trop tard. Tu ne termines presque jamais ton travail avant le dîner.

Philippe: Mais si, maman, quelquefois je. . . .

Papa: Ta mère a raison, Philippe, tu travailles trop tard. Tu ne peux pas bien comprendre tes devoirs quand tu es fatigué. Voici ta résolution—il faut toujours terminer tes devoirs avant sept heures et quart.

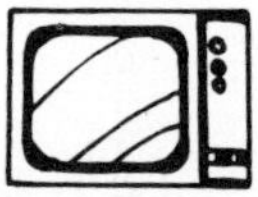

Philippe: Oui, d'accord. Mais trouvons quelque chose de difficile pour Marie-Claude! Je pense qu'elle regarde trop la télévision, et même quand il n'y a rien d'intéressant.

Marie-Claude: Jamais! Tais-toi, Philippe, tu es bête. Tu es jaloux parce que je n'ai pas de devoirs et aussi parce que je suis très intelligente!

Philippe: Ah . . . que tu es ridicule!

Papa: Allez, allez, ne vous querellez pas! Philippe a raison. Il y a vraiment des programmes inutiles. Voici une résolution pour toi . . . ne regarde plus la télévision après huit heures!

Marie-Claude: Mais maman, je . . .

Maman: Tais-toi, Marie-Claude, sois sage!

Marie-Claude: Bon, d'accord. Mais il faut trouver quelque chose pour Alain.

Alain: Mais non, c'est mon anniversaire et je ne désire pas de résolution comme cadeau.

Papa: Si, j'ai une bonne idée pour toi. Tu te couches trop tard pour un garçon de quatre . . . pardon, de cinq ans. Désormais tu vas te coucher à huit heures précises . . . et sans grogner.

Alain: Mais papa, je n'aime pas me coucher, pourquoi ne puis-je pas jouer jusqu'à huit heures et demie?

Maman: Il n'y a pas de «mais», mon fils. Tu as ta résolution comme tout le monde.

Alain: Et pour Miquet et Kiki?

Philippe: Rien. Ils sont déjà assez sages. Ils ne sont jamais méchants, sauf quand tu prends l'os du chien et quand tu marches sur la queue du chat. Laissons les animaux en paix—ils ne comprennent pas la date, eux.

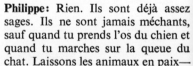

Maman: Mais nous, au contraire, nous comprenons que, le jour de l'an, il faut prendre une bonne résolution. Oui, chez les Bertillon, on fait peau neuve. . . .!

* * *

Les bonnes résolutions sont faciles à prendre, mais quelques jours plus tard. . . . (Regardez page cinquante-cinq et tournez le livre à l'envers.)

---

un effort *effort*
le petit four *small fancy cake*
quelqu'un *somebody*

la cigarette *cigarette*
la queue *tail*
la santé *health*
la taille *figure*
la tasse *cup*

chéri (e) *darling*
difficile *difficult*
facile *easy*
jaloux (jalouse) *jealous*
quelques *a few*
ridicule *ridiculous*

être en toute sûreté *to be quite safe*
faire des économies *to save up*
faire peau neuve *to turn over a new leaf*
prendre une résolution *to make a resolution*
se quereller *to quarrel*
voler *to steal*

à l'envers *upside down*
au contraire *on the contrary*
ça va *O.K., all right*
ça y est *that's it, there we are*
désormais *henceforth, from now on*
déjà *already*
en même temps *at the same time*
il faut *it is necessary to, one must*

même *even*
ne . . . jamais *never*
ne . . . personne *nobody*
ne . . . plus *no more, no longer*
ne . . . que *only*
ne . . . rien *nothing*
tard *late*

Il est midi. Voici six petits fours sur un rayon dans la cuisine. Les petits fours sont en toute sûreté. Ici on **ne** vole **jamais. Jamais de la vie!**

Il **n'**y a **personne** dans la cuisine. **Personne?** Non, **personne n'**est là.

Voici quelqu'un. C'est Alain. Maintenant il **n'**y a **que** cinq petits fours.

Et voici quelqu'un d'autre. C'est Philippe. Il **n'**y a **que** trois petits fours maintenant.

Voici encore quelqu'un d'autre. C'est sa sœur. Il **n'**y a **plus** de petits fours sur le rayon. Non, hélas, **plus de** petits fours!

A midi vingt, il **n'**y a **plus rien** sur le rayon. Non, **plus rien n'**est là.

Naturellement, si les enfants passent par la cuisine, il **n'**y a **plus jamais rien!**

A **Vrai:** Papa fume toujours sa pipe.
Faux: Papa ne fume jamais sa pipe.

Complétez:

(1) **Vrai:**
Faux: Alain mange six petits fours.
(2) **Vrai:**
Faux: À midi vingt il y a six petits fours sur le rayon.
(3) **Vrai:** Quelqu'un mange les petits fours.
Faux:
(4) **Vrai:**
Faux: Madame Bertillon vole quelque chose.
(5) **Vrai:**
Faux: Marie-Claude mange cinq petits fours.
(6) **Vrai:**
Faux: À midi vingt il y a quelque chose sur le rayon.
(7) **Vrai:** Philippe vole souvent des gâteaux.
Faux:
(8) **Vrai:**
Faux: Maman trouve les petits fours à midi vingt.
(9) **Vrai:**
Faux: Toute la famille Bertillon est dans la cuisine à midi.
(10) **Vrai:** Les enfants mangent quelque chose.
Faux:

B **Faites une bonne résolution pour:**

—Vous-même
—Votre papa
—Votre mère
—Votre frère ou votre sœur
—Votre professeur.

Employez *(Use)* ne . . . plus, etc, dans cinq phrases de sept à douze mots. Commencez chaque phrase par: Je ne. . . .

C Quand est-ce qu'il arrive?
Quand arrive-t-il?

Remove* est-ce que *from these sentences:

(1) Combien de petits fours est-ce qu'il y a d'abord dans la cuisine?
(2) Où est-ce qu'on trouve le poste de télévision chez les Bertillon?
(3) Qui est-ce que vous regardez?
(4) Qu'est-ce que vous mangez?
(5) Pourquoi est-ce qu'on ne porte pas de manteau en été?

Qu'est-ce que Marie-Claude cherche?
Marie-Claude, que cherche-t-elle?

(6) Qu'est-ce que le facteur porte?
(7) Qu'est-ce que les enfants font après leur petit déjeuner?
(8) Qu'est-ce que le facteur distribue?
(9) Qu'est-ce que Maman trouve à midi vingt?
(10) Qu'est-ce que Philippe mange?

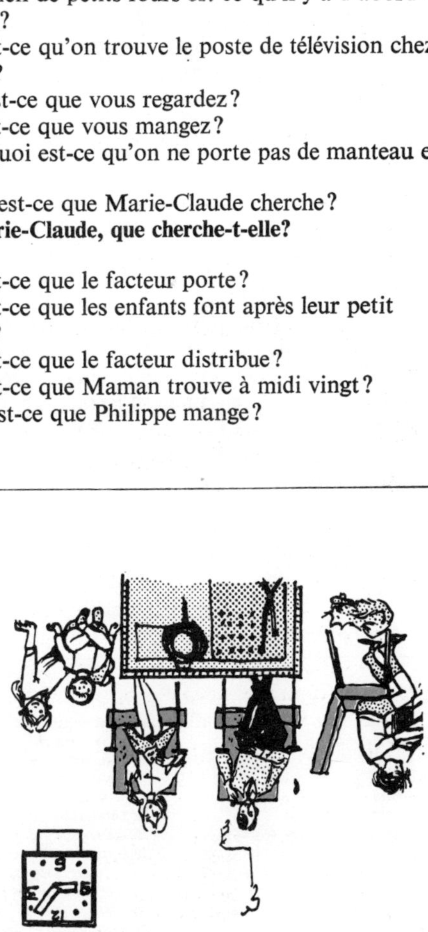

AU CEN

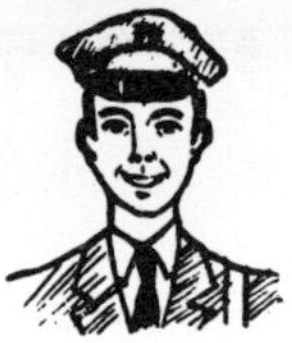

À la Poste vous achetez des timbres et des mandats, et vous apportez des lettres et des paquets.

Ici vous ne trouvez que de la viande de porc, par exemple, des côtelettes, des saucisses et du jambon.

Ici vous pouvez acheter toutes sortes de choses à manger—des biscuits, des boîtes de confiture, des fruits et des légumes, du thé, du café et du sucre.

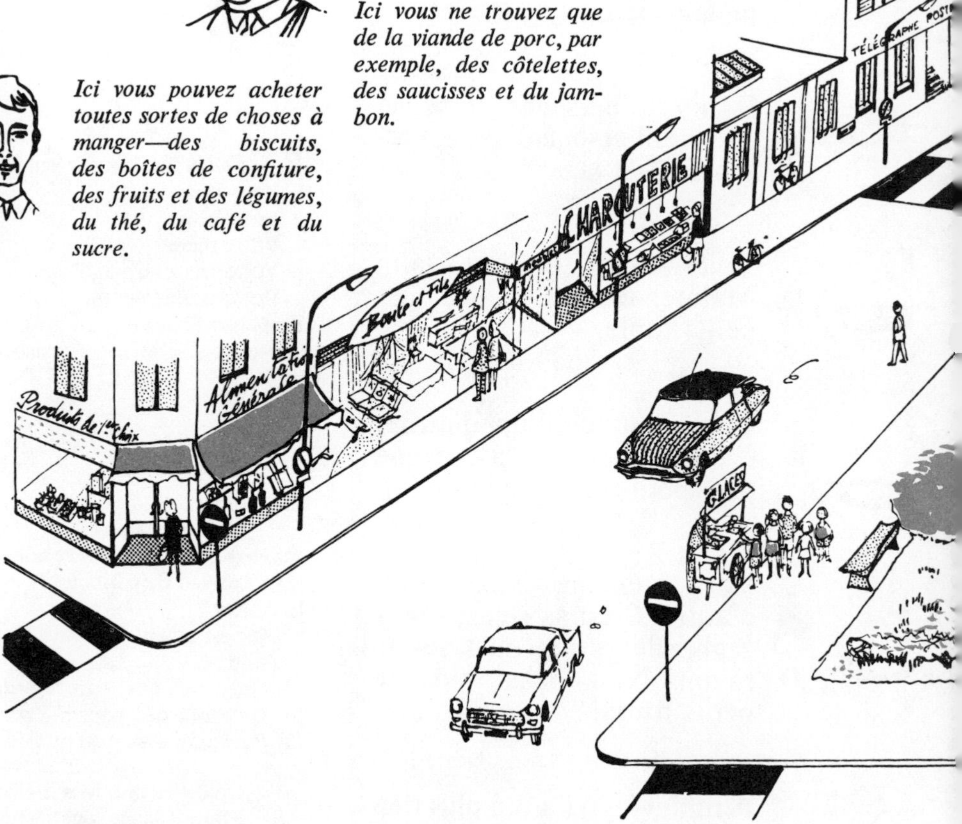

Voici la nouvelle place au centre de Villeneuve. C'est très moderne, n'est-ce pas ? Il y a beaucoup de boutiques où vous pouvez faire tous vos achats. Remarquez qu'il y a en France deux boutiques où vous achetez de la viande. Quelle est la différence entre la charcuterie et la boucherie ?

Au milieu de la place il y a un petit jardin public, avec des arbres, des fleurs, et aussi des bancs où vous pouvez vous reposer si vous êtes fatigué. (Quelquefois un panier plein d'achats est très lourd.) Au printemps et en été, quand il fait beau, quelques vieilles personnes s'installent sur les bancs. Là elles peuvent regarder les passants et bavarder. Regardez le jardinier au milieu du petit jardin. Comment s'appelle-t-il ?

Beaucoup de personnes arrivent en voiture pour faire leurs achats. Il faut laisser les voitures et les vélos sur le parking à côté de la Poste. Comment s'appelle le facteur près de la Poste, et comment s'appelle l'agent de police près du parking ?

Pendant les vacances Philippe et Marie-Claude font les achats pour leur mère. Ils font ceci avec plaisir, surtout quand il reste de la monnaie après les achats. Alors ils peuvent acheter des glaces, car en été un marchand de glaces arrive avec son vieux chariot sur la place.

Parmi toutes les boutiques modernes, les enfants aiment mieux le vieux marchand, car ses glaces sont vraiment délicieuses.

---

un achat *purchase*
le bifteck *beef steak*
le centre *centre*
le chariot *cart*
le jambon *ham*
le mandat *postal order*
le marchand de glaces *ice-cream seller*
le passant *passer-by*
le porc *pork*
le poulet *chicken*
le savon *soap*
le sucre *sugar*
le thé *tea*
le veau *veal*

une alimentation générale *general shop*
la boucherie *butcher's shop*
la charcuterie *pork butcher's shop*
la côtelette *cutlet*
la différence *difference*
la librairie-papeterie *book and paper shop*
la peinture *paint*
la place *square*
la quincaillerie *hardware shop*
la saucisse *sausage*
la ville *town*

à côté de *beside*
alors *then*
au milieu de *in the middle of*

moderne *modern*
public (publique) *public*
aimer mieux *to prefer, like better*

LA VILLE

On achète du dentifrice et des brosses à dents à la pharmacie, et les malades achètent des médicaments.

Ici on achète des livres, du papier, de l'encre, des stylos et aussi des journaux.

Vous désirez du bifteck, du veau? Entrez chez moi!

J'ai tout pour la maison—des brosses, des chiffons, de la peinture, du savon.

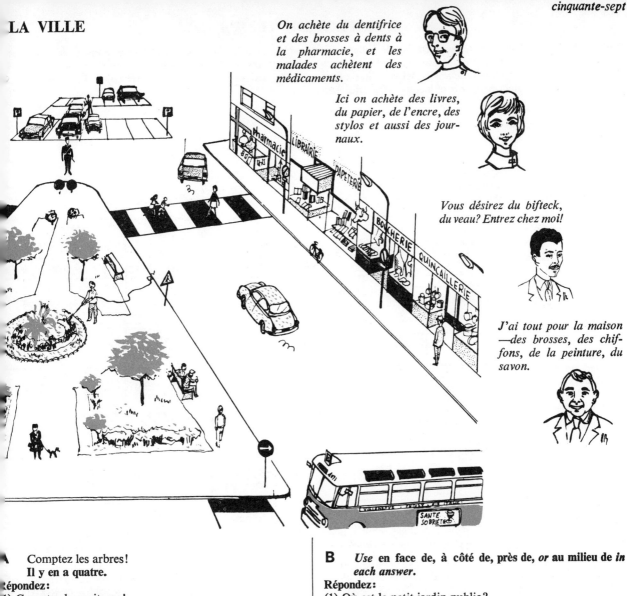

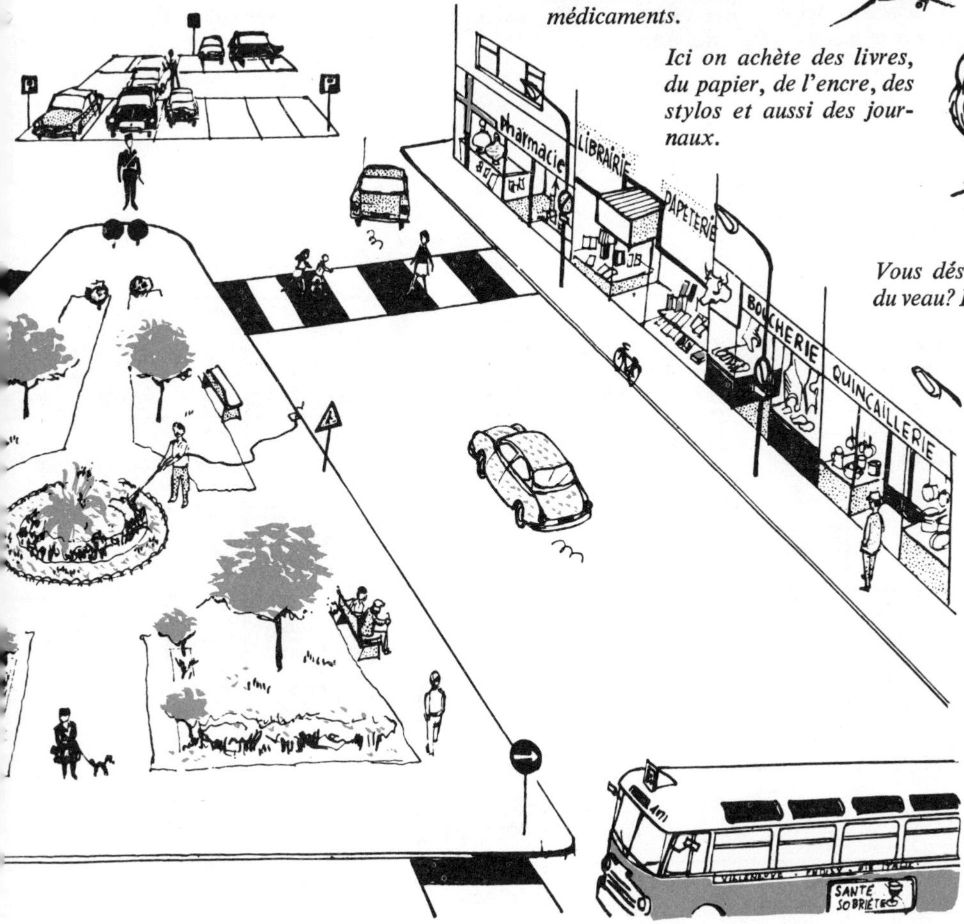

A Comptez les arbres!
Il y en a quatre.

Répondez:

1) Comptez les voitures!
2) Comptez les hommes!
3) Comptez les femmes!
4) Comptez les bancs!
5) Combien de garçons y a-t-il?
6) Combien de fillettes y a-t-il?
7) Combien d'agents y a-t-il?
8) Combien de glaces y a-t-il?
9) Combien de vélos y a-t-il?
10) Combien de boutiques y a-t-il?

B ***Use* en face de, à côté de, près de, *or* au milieu de *in each answer.***

Répondez:

(1) Où est le petit jardin public?
(2) Où est la pharmacie?
(3) Où est le facteur?
(4) Où est l'agent de police?
(5) Où est le parking?
(6) Où est le marchand de glaces?
(7) Où est la Poste?
(8) Où sont presque tous les enfants?
(9) Où sont les vélos?
(10) Où sont les fleurs?

C JE VAIS AU MARCHÉ ACHETER . . .

Do you remember our game*—Je vais au marché acheter . . .? *(see page 37). Now we can play it, saying not only what we are going to buy, but also where we are going to buy it, e.g. the first pupil says*—Je vais acheter de l'encre à la papeterie. *The second pupil repeats that and adds, e.g.* et des saucisses à la charcuterie. *If you name the wrong shop for your article, you are out.

Bonne Chance!

L'EMPLOI DU TEMPS

Philippe Bertillon, élève de sixième au collège de Villeneuve, a vingt-six heures de travail par semaine. Le premier cours de la journée commence à huit heures et demie et le sixième cours se termine à quatre heures et demie. Regardez son emploi du temps et lisez aussi ses opinions sur les matières [et] les professeurs. Après, lisez à la page cinquante-neuf [les] opinions des professeurs sur le travail de Philippe Bertillo[n].

NOM DE L'ÉLÈVE BERTILLON Philippe — **CLASSE DE 6ᵉA**

	8h30	9h30	10h25 10h35		11h30 13h30		14h30	15h30	16h3[0]
Lundi	Anglais	Mathé-matiques	récréation	Éducation Physique	déjeuner	Français	Sciences	Histoire	
Mardi	Musique	Orthographe	récréation	Sciences	déjeuner	Mathé-matiques	Anglais	Français	
Mercredi	Dessin	Travail Manuel	récréation	Anglais	déjeuner	Éducation Physique	Anglais	Instruction Civique	
Jeudi	Congé	Congé	récréation	Congé	déjeuner	Congé	Congé	Congé	
Vendredi	Français	T.S.E.	récréation	Mathé-matiques	déjeuner	Composition Française	Géographie	Anglais	
Samedi	Histoire	Grammaire	récréation	Mathé-matiques	déjeuner	Congé	Congé	Congé	

Le pauvre M. Crétineau est trop vieux. Nous chahutons dans ses cours. C'est amusant mais nous n'apprenons jamais rien.

Mon professeur d'anglais, M. Daninos, est un homme très amusant et ses cours sont très intéressants. J'aime parler anglais mais je n'aime pas écrire les exercices.

Aïe! que je chante mal!

Je suis très content le mercredi matin (surtout avant la récréation) car j'adore dessiner et travailler dans l'atelier.

J'aime faire les expériences mais malheureusement je ne sais pas faire les problèmes.

M. Durand, le professeur de français, est sévère. Dans ses cours nous lisons quelquefois des livres stupides et je n'apprends rien.

M. Temps, mon professeur d'histoire, est aussi le professeur de géographie. En géographie, j'ai de bonnes notes car je dessine de belles cartes de tous les pays du monde. Au contraire, je déteste l'histoire car j'oublie toujours les dates et les noms des hommes célèbres.

Ce cours est ennuyeux et difficile pour moi, car nous écrivons trop d'exercices.

J'aime beaucoup le sport. En hiver je joue au football et en été, je joue au volley-ball et je fais de l'athlétisme.

Le jeudi et le samedi après-midi nous avons cong[é]. Quelle joie! Je ne vais pas au collège (sauf si j'ai une retenue), je reste à la maison et je joue avec mes camarade[s]. Quel plaisir!

---

l'anglais *English*
un atelier *workshop*
le classement *position*
le cours *lesson*
le dessin *drawing*
le directeur *headmaster*
un emploi du temps *timetable*
un exercice *exercise*
le monde *world*
le pays *country*
le travail manuel *handicraft*

la carte *map*
la composition *essay*
la conduite *behaviour*
la date *date*
l'éducation physique *P.E., gym*
une expérience *experiment*
la géographie *geography*
la grammaire *grammar*
l'histoire *history*
l'instruction civique *civics (study of national and local ways of life)*
la matière *subject*
les mathématiques *maths*
la moyenne *average*

la musique *music*
une observation *remark*
une opinion *opinion*
l'orthographe *spelling*
la récréation *break*
la retenue *detention*
la sixième *first form*

adorer *to adore*
apprendre *to learn* (like prendre)
avoir congé *to have time off*
chahuter *to make a din*
écrire *to write* (regardez page 59)
faire de l'athlétisme *to do athletics*
lire *to read* (regardez page 59)
se terminer *to end*

amusant *funny*
célèbre *famous*
décevant *disappointing*
doué *gifted*
ennuyeux (ennuyeuse) *boring*
faible *weak*
final *last, final*
moyen (moyenne) *average*
satisfaisant *satisfactory*

mal *badly*
mieux *better*
par semaine *weekly, per week*
T.S.E. = Travaux Scientifiques Expérimentaux *science practicals*

Bulletin Scolaire

nom BERTILLON Philippe 6e A

matière	notes sur 20	classement sur 38	observations
Conduite	13	–	satisfaisante
Composition Française	11	26e	décevant
Orthographe	9	30e	faible
Grammaire	7	35e	très faible
Instruction Civique	13	14e	Assez bien
Histoire	9	27e	paresseux
Géographie	17	3e	Excellent
Anglais	16	4e	parle bien
Mathématiques	8	29e	ne fait rien
Sciences	12	18e	Moyen
Dessin	18	1er	Excellent
Travail Manuel	15	5e	Très bien
Éducation Physique	16	2e	Bravo!
Musique	10	30e	pas doué

Moyenne 12 sur 20

Classement final 23e sur 38

Observation du Directeur peut mieux faire

ÉCRIRE—***(to write)***

J'écris au Père Noël.
Tu écris ton alphabet.
Écris vite la date au tableau noir!
Il écrit bien l'anglais.
Nous écrivons à Tante Marguerite.
Vous écrivez dans votre cahier.
Écrivez 19 en toutes lettres!
Elles écrivent à leurs bons amis.

LIRE—***(to read)***

Je lis «Le Figaro».
Tu lis «Elle».
Lis dans ton livre de français!
Il lit «France-Soir».
Nous lisons un livre de Tintin.
Vous lisez la page 59.
Lisez les deux derniers paragraphes!
Ils ne **lisent** jamais au lit.

Philippe a **de bons professeurs** mais **de mauvaises notes.**

A Voici des cartes. Elles sont belles.
Voici de belles cartes.

Écrivez en une seule phrase:

(1) Voici des biscuits. Ils sont bons.
(2) J'ai des idées. Elles sont bonnes.
(3) Nous avons des chiens. Ils sont jeunes.
(4) Elle donne des notes. Elles sont mauvaises.
(5) Je lis des livres. Ils sont nouveaux.
(6) Jean rencontre des femmes. Elles sont vieilles.
(7) Regardons des églises! Elles sont belles.
(8) Elles écrivent des lettres. Elles sont longues.
(9) Lisons des magazines! Ils sont bons.
(10) Mangeons des gâteaux! Ils sont petits.

LES NOMBRES ORDINAUX

Le **premier** élève de la classe.

Une voiture de **deuxième** ou **seconde** classe.

La **troisième** ville de France.

Philippe arrive en **quatrième** position.

Pour ton **cinquième** anniversaire . . .

i La **neuvième** lettre de l'alphabet.

Le **onzième** mois de l'année.

Pour ton **vingt et unième** anniversaire.

Le **cinquante et unième** degré de latitude, nord.
Le **quarante-deuxième** degré de latitude, nord.

B **Répondez:**

(1) Quelle est la 1ère ville de France?
(2) Quel est le 1er mois de l'année?
(3) Quel est votre classement en français?
(4) Quel est votre classement en anglais?
(5) Quel est votre classement en mathématiques?
(6) Quel est le 61e jour de cette année?
(7) Quel est le 39e jour de cette année?
(8) Quelle est la 4e saison de l'année?
(9) Comment s'appelle le 3e enfant des Bertillon?
(10) Quel est le classement final de Philippe?

UNE JOURNÉE DÉSASTREUSE

1. Aujourd'hui, c'est samedi et puisque Philippe a un après-midi libre, il va faire une belle excursion avec ses amis. Mais il faut faire attention car le samedi après-midi on punit les mauvais élèves—ils font deux heures de retenue.

2. Il quitte la maison de bonne heure mais en route il s'arrête à la papeterie pour acheter une nouvelle bouteille d'encre. À cause de la queue dans la boutique, il arrive au collège en retard.

3. Il arrive au milieu d'une interr gation écrite et le professeur d'hi toire, M. Temps, est furieux. gronde le pauvre garçon mai heureusement, il ne donne pas retenue.

4. Pendant le deuxième cours (un cours de français), le professeur choisit Philippe pour l'interrogation. Le pauvre garçon hésite, rougit et enfin il ne dit presque rien. M. Durand est furieux et donne à Philippe . . . un devoir supplémentaire.

5. Pendant la récréation deux grands garçons saisissen Philippe et il y a une petite bataille. Elle finit tout de suit quand un professeur arrive et donne à chaque garçon . . cinquante vers à recopier.

6. Quand Philippe arrive dans la classe de mathématiques, il découvre que sa serviette est remplie d'encre parce que la bouteille est cassée. Quand il montre son devoir à M. Crétineau, le professeur remarque les taches d'encre et il punit Philippe . . . mais, heureusement, il ne donne pas de retenue.

7. Enfin il est onze heures et demie et Philippe n'a pas de retenue. Il quitte le collège, joyeux à l'idée de son excursion. Il lance sa serviette en l'air mais elle retombe . . . presque sur la tête du directeur. Ça, c'est le comble! Philippe a deux heures de retenue après tout.

8. Plus d'excursio aujourd'hui! Quell journée désastreuse!

---

le couloir *corridor*
le devoir supplémentaire *extra work*
un idiot, **un imbécile** } *fool, idiot*
le vers *line*
la bataille *fight*
une excursion *outing*
une interrogation *(oral) test*
la leçon *lesson*
la queue *queue*
la récitation *recitation*
la tache *spot, stain*
affreux (affreuse) *frightful*
désastreux (désastreuse) *disastrous*
écrit *written*
furieux (furieuse) *furious*
libre *free*
rempli de *filled with*
choisir *to choose*
finir *to finish*
gronder *to scold*
hésiter *to hesitate*
lancer *to throw* (nous lançons)
punir *to punish*
recopier *to copy out*
retomber *to fall down*
rougir *to blush*
saisir *to seize*
ça, c'est le comble! *that's the last straw!*
de bonne heure *early*
demain *tomorrow*
en l'air *into the air*
mille fois *a thousand times*
puisque *since*

-IR *VERBS*

Je choisis un crayon.

Tu choisis un livre.
Ne **choisis** pas ma chaise!

Il choisit une bonne amie.
Choisit-elle encore un chapeau?

Nous choisissons des bonbons.
Choisissons du chocolat!

Vous choisissez mon cadeau.
Choisissez un nouveau pull-over!

Choisissent-ils du thé?
Elles choisissent de jolies chemises.

A VOICI UNE PUNITION POUR VOUS, MAUVAIS ÉLÈVES:

Complétez:

(1) Je ne punis pas
Tu ne punis pas.
____

(2) Est-ce que je rougis?
Rougis-tu?
____

(3) Je finis les devoirs.
Tu finis les devoirs.
____

(4) Est-ce que je ne punis jamais les élèves?
Ne punis-tu jamais les élèves?
____

(5) Est-ce que je saisis les pommes?
Saisis-tu les pommes?
____

B Voici des réponses à des questions. Pouvez-vous trouver les questions originales?

(1) On punit les mauvais élèves le samedi après-midi.
(2) Oui, le professeur choisit le pauvre Philippe.
(3) Philippe rougit parce qu'il ne sait pas sa leçon.
(4) Philippe ne finit pas la fable.
(5) Deux garçons saisissent Philippe.
(6) La bataille finit quand le professeur arrive.
(7) Non, le professeur de maths ne punit pas Philippe.
(8) Oui, le directeur punit Philippe.

C Complétez avec la préposition convenable:

(1) Philippe est —— la porte. (Image 2)
(2) La pendule est —— le professeur et Philippe. (Image 3)
(3) Philippe est —— le pupitre. (Image 4)
(4) Le professeur est —— la classe. (Image 4)
(5) Philippe est —— de la classe. (Image 4)
(6) Le pauvre Philippe est —— deux grands garçons. (Image 5)
(7) Le professeur est —— des trois élèves. (Image 5)
(8) Le cahier est —— les mains de M. Crétineau. (Image 6)
(9) Les taches d'encre sont —— le devoir. (Image 6)
(10) Le directeur est —— du couloir. (Image 7)

D Répondez:

(1) Qu'est-ce que tu fais?
(2) Qu'est-ce que je fais?
(3) Qu'est-ce qu'il fait?
(4) Qu'est-ce que nous faisons?
(5) Qu'est-ce que vous faites?
(6) Qu'est-ce qu'ils font?

LE CORBEAU ET LE RENARD

Maître Corbeau, sur un arbre perché,
Tenait en son bec un fromage.
Maître Renard, par l'odeur alléché,
Lui tint à peu près ce langage:
«Hé! bonjour, monsieur du Corbeau,
Que vous êtes joli! que vous me semblez beau!
Sans mentir, si votre ramage
Se rapporte à votre plumage,
Vous êtes le phénix des hôtes de ces bois.»
À ces mots le corbeau ne se sent pas de joie;
Et, pour montrer sa belle voix,
Il ouvre un large bec, laisse tomber sa proie.
Le Renard s'en saisit, et dit: «Mon bon monsieur,
Apprenez que tout flatteur
Vit aux dépens de celui qui l'écoute:
Cette leçon vaut bien un fromage, sans doute.»
Le corbeau, honteux et confus,
Jura, mais un peu tard, qu'on ne l'y prendrait plus.

Jean de la Fontaine (1621–1695)

THE CROW AND THE FOX

Sir Crow upon a branch aloft
Held tightly in his beak a cheese:
Sir Fox, drawn by the fragrance soft,
Began in some such words as these:
'My Lord of Raven Hall, good-day!
So splendidly you look, more fine than I can say,
If your voice—it's my true opinion—
Can match the beauty of your pinion,
Of all these woodland dwellers, you're the wonder.
Delighted by these words, the crow at once began to
Display his gift of pure bel-canto,
And gaping wide to do so, forthwith he dropped his plunder.
As Foxy picked it up, he said 'Old Chap,
We who live by buttering up,
Depend on those who'll hear our pleas.
Surely this lesson's cheap enough—one cheese.'
Baffled and shamed, the poor Crow swore
That henceforth he'd keep locked the empty stable door.

Translated by J. E. Cunningham.

LE CRIME NE PAIE PAS

1. Marie-Claude n'est pas comme son frère. Philippe est sage d'habitude mais il n'a pas de chance. Marie-Claude est souvent méchante mais elle a de la chance et elle est rarement punie.

2. Quelquefois elle arrive dans la salle de classe avant ses camarades. Les pupitres des élèves contiennent beaucoup de choses—des règles, des stylos, des cahiers, par exemple—et Marie-Claude aime cacher ou déranger toutes ces choses. Ce n'est pas commode pour les autres élèves, mais c'est amusant pour la méchante fillette.

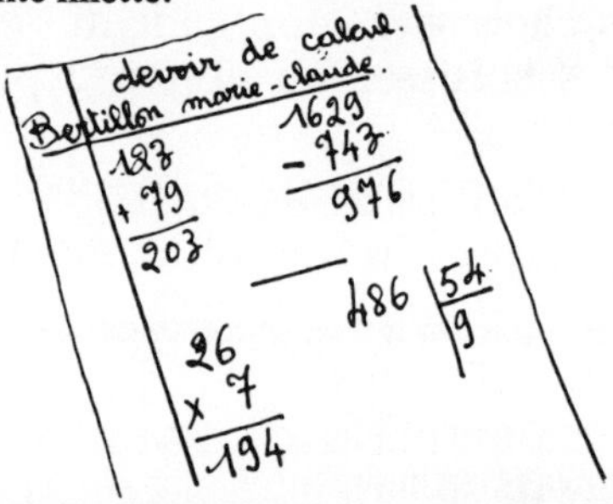

3. Quand il y a une interrogation écrite, Marie-Claude choisit une place près d'une fillette intelligente et elle triche. Pendant que la maîtresse pose les questions d'histoire, Marie-Claude regarde la feuille de sa voisine et copie les réponses correctes: quinze cent quinze; dix-sept cent quatre-vingt-neuf; dix-huit cent vingt et un; dix-neuf cent dix-huit.

4. Mais quelquefois elle ne réussit pas à tricher. Pendant un cours d'arithmétique elle copie sur sa voisine, Yvonne Lebrun. Malheureusement pour Marie-Claude, Yvonne n'est pas très forte en mathématiques, et son travail contient beaucoup de fautes. (Pouvez-vous trouver les fautes?)

5. Quand la maîtresse commence à corriger le travail, elle devient rouge de colère. Quelqu'un triche mais qui est-ce? La maîtresse va interroger les fillettes.

6. Yvonne et Marie-Claude viennent à la table de la maîtresse. Elle tient les feuilles des deux fillettes à la main et elle regarde les fautes. Bientôt Marie-Claude rougit et commence à pleurer—oui, c'est elle, la tricheuse! La maîtresse punit toujours les tricheuses et elle donne à Marie-Claude un devoir supplémentaire.

7. Marie-Claude, comme son frère pour une fois, ne peut pas s'amuser ce samedi après-midi. Elle reste à la maison et fait des pages et des pages de calculs—et cette fois sans tricher. Elle, du moins, mérite sa punition.

---

l'arithmétique *arithmetic*
la camarade *schoolfriend (fem.)*
la faute *mistake*
la guerre mondiale *world war*
la maîtresse *schoolmistress*
la mort *death*
la punition *punishment*
la Révolution française *French Revolution*
la tricheuse *cheat (fem.)*
la voisine *neighbour (fem.)*

commode *convenient*
correct *correct*
puni *punished*

s'amuser *to enjoy oneself*
contenir *to contain* (*like* venir)
copier sur *to copy from*
corriger *to correct* (nous corrigeons)
devenir *to become* (*like* venir)
interroger *to question* (nous interrogeons)
mériter *to deserve*
réussir à *to succeed in*
tenir *to hold* (*like* venir)
tricher *to cheat*
venir *to come* (regardez page 63)

d'habitude *usually*
du moins *at least*
«le crime ne paie pas» *'crime does not pay'*
pour une fois *for once*
rarement *rarely*
tiens! *well, well!! you don't say!*

70	**soixante-dix**
71	**soixante et onze**
72	**soixante-douze**
80	**quatre-vingts**
81	**quatre-vingt-un(e)**
82	**quatre-vingt-deux**
90	**quatre-vingt-dix**
91	**quatre-vingt-onze**
92	**quatre-vingt-douze**
100	**cent**
101	**cent un(e)**
199	**cent quatre-vingt-dix-neuf**
200	**deux cents**
201	**deux cent un(e)**
297	**deux cent quatre-vingt-dix-sept**
300	**trois cents**
301	**trois cent un(e)**
400	**quatre cents**
500	**cinq cents**
615	**six cent quinze**
701	**sept cent un(e)**
805	**huit cent cinq**
900	**neuf cents**
1 000	**mille**
1 200	**mille deux cents**
2 001	**deux mille un(e)**
3 000	**trois mille**
4 500	**quatre mille cinq cents**
5 000	**cinq mille**
6 000	**six mille**
7 400	**sept mille quatre cents**
8 800	**huit mille huit cents**
9 999	**neuf mille neuf cent quatre-vingt-dix-neuf**

A VOICI LA PUNITION DE MARIE-CLAUDE:

(1) 88 + 98 =
(2) 156 + 45 =
(3) 59 + 31 + 110 =
(4) 450 + 305 =
(5) 5 × 45 =
(6) 25 × 3 =
(7) 61 × 6 =
(8) 175 × 3 =

8 — 6 = 2
huit moins six fait deux

(9) 100 − 19 =
(10) 1 000 − 1 =
(11) 782 − 380 =
(12) 9 898 − 9 897 =

8 ÷ 2 = 4
huit divisé par deux fait quatre

(13) 729 ÷ 81 =
(14) 804 ÷ 67 =
(15) 2 080 ÷ 40 =
(16) 232 ÷ 4 =

B

Look at these pictures of famous Frenchmen and then answer these three questions about each of them in turn:

(a) En quelle année est-il né?
(b) En quelle année est-il mort?
(c) Qui est-ce?

VENIR—*(to come)*

Je viens à une heure

Viens-tu aujourd'hui?
Viens ici, méchante enfant!

Il vient le vendredi
Vient-elle avec lui?

Nous venons à l'école bientôt.

Vous venez ici souvent.
Venez voir votre maman, mes petits!

Viennent-ils ce soir?
Elles viennent tout de suite.

C Complétez avec venir, revenir, devenir, tenir ou contenir:

(1) Le facteur —— toujours à 7 heures.
(2) À 16 heures nous —— à la maison.
(3) Quand tu parles à l'agent, tu —— rouge.
(4) Les dix bouteilles —— dix litres de vin blanc.
(5) Je —— un journal à la main gauche.
(6) Est-ce que les tasses —— du café chaud?
(7) À 16 heures Philippe —— du collège.
(8) —— ici, ma pauvre petite!
(9) —— à vos pupitres, mauvais élèves!
(10) S'il pleut le samedi, nous —— furieux.

D ÊTES-VOUS HONNÊTE(S) OU MALHONNÊTE(S)?

Répondez honnêtement:

(1) Arrivez-vous jamais en retard au collège?
(2) Combien de punitions avez-vous par semaine? Et par mois?
(3) Êtes-vous souvent en retenue?
(4) Faites-vous vos devoirs à la maison ou à l'école.
(5) Trichez-vous en classe? Et réussissez-vous toujours?

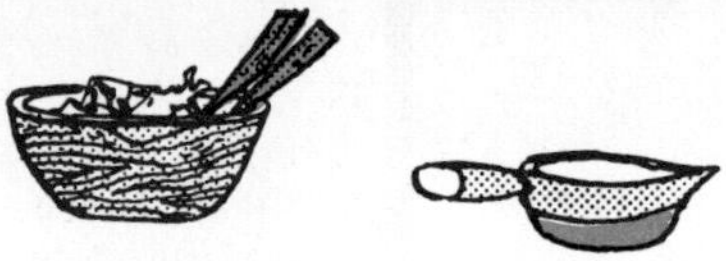

TROIS RECETTES

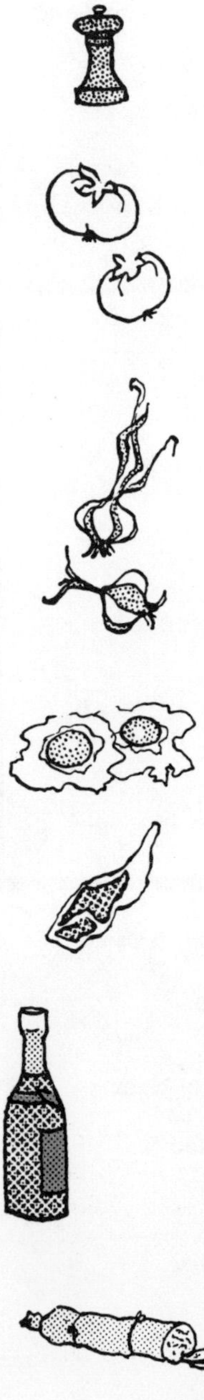

ŒUFS FRITS

(1) Ne faites frire[1] qu'un œuf à la fois dans une petite poêle et dans un verre d'huile d'olive fumante.

(2) Faites frire du persil et une tranche de bacon par œuf.

(3) Servez[2] chaque œuf sur une tranche de bacon et assez de persil frit, et faites passer[3] une saucière de sauce tomate.

[1]*Fry* [2]*Serve* [3]*Pass round*

GRENOUILLES

On ne mange que les cuisses.

1) Trempez[1] les cuisses dans de l'eau froide salée.

(2) Faites-les revenir[2] dans une poêle avec un bon morceau de beurre, quelques fines herbes et 2 petits oignons hachés. Assaisonnez.[3]

(3) Mouillez[4] d'un verre de vin et d'une tasse de consommé.

(4) Laissez cuire[5] et liez[6] la sauce avec 2 jaunes d'œuf et une cuillerée de farine.

(5) Mettez[7] un morceau de beurre au dernier moment et saupoudrez[8] les grenouilles de persil haché. Servez dans un plat creux.

[1]*soak* [2]*fry lightly* [3]*season* [4]*moisten* [5]*leave to cook*
[6]*thicken* [7]*put in* [8]*sprinkle*

CRÈME À LA VANILLE *(or French Custard)*

(1) Cassez 6 œufs bien frais. Mettez les 6 jaunes dans un bol et battez-les[1] légèrement.

(2) Versez[2] tout doucement dessus 0,75 litre de lait tiède bien sucré et bouilli avec un peu de vanille.

(3) Mélangez, fouettez[3] légèrement; versez dans une casserole et mettez à feu doux.

(4) Remuez[4] avec une cuiller en bois et ne laissez pas bouillir.[5]

(5) Versez la crème à travers un tamis très fin dans un plat froid. Au bout d'un moment fouettez et repassez la crème à travers le tamis dans une saucière.

[1]*beat them* [2]*pour* [3]*whip* [4]*stir*
[5]*do not allow to boil*

EXPRESSIONS OF QUANTITY

Voici une livre **de** sucre 

et un verre **d'**eau 

A QU'EST-CE QUE C'EST?

 **C'est une tasse de café.**

Répondez:

(1) 

(2) 

(3) 

(4) 

(5) 

(6) 

(7) 

(8) 

(9) 

(10) 

B Complétez avec d', de, du de la, de l', ou des:

(1) Pour faire —— crème à la vanille, il faut —— jaunes —— œuf, —— lait, —— sucre, mais pas —— fines herbes et —— tomates.
(2) Pour faire cuire —— cuisses —— grenouille, il faut —— eau salée, —— beurre, mais pas —— jaunes —— œuf.
(3) Pour faire —— œufs frits, il faut —— œufs, —— persil, et —— minces tranches —— bacon, mais pas —— sucre et —— lait.
(4) Pour faire —— café noir, il faut —— café frais, —— eau bouillie, —— sucre, mais pas —— poivre et —— vin.

C Pour ce plat il faut . . .

(1) 

(2) 

(3) 

(4) 

(5) 

METRIC EQUIVALENTS

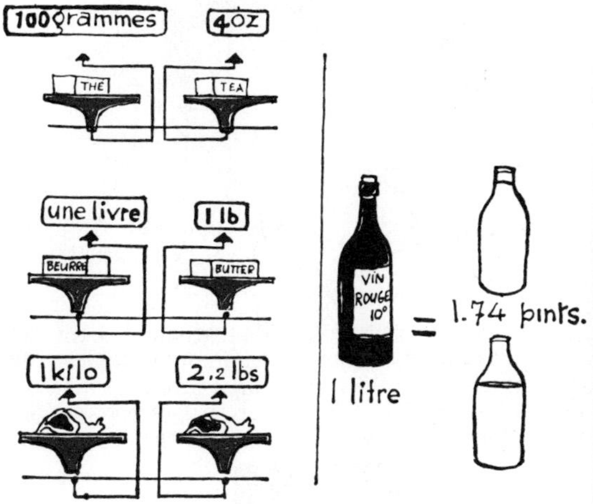

le bacon *bacon*
le consommé *clear soup*
le jaune d'œuf *egg yolk*
le moment *moment*
un oignon *onion*
le persil *parsley*
le poivre *pepper*
le sel *salt*
le tamis *sieve*

la cafetière *coffee pot*
la cuillerée *spoonful*
la cuisse *thigh, hind leg*
la grenouille *frog*
l'huile d'olive *olive oil*
les fines herbes *herbs (for cooking)*
la livre *pound*
la poêle *frying pan*
la recette *recipe*

la sauce *sauce*
la saucière *sauce boat*
la tomate *tomato*
la tranche *slice*
la vanille *vanilla*

bouilli *boiled*
creux (creuse) *hollow*
fin *fine*
fumant *piping hot*
haché *chopped*
salé *salted*
sucré *sugared*
tiède *lukewarm*

assez de *enough*
dessus *over*
à feu doux *(cook) slowly*
à feu vif *(cook) quickly*
à la fois *simultaneously*
légèrement *lightly*
à travers *through*

LES FERVENTS DE LA TÉLÉVISION

1. Vous savez déjà que ma famille aime beaucoup la télévision (regardez page 55). En hiver, quand nous devons rester à la maison à cause du mauvais temps, nous nous installons devant le poste de télévision. Nous avons tous un programme favori.

2. Alain adore les dessins animés. Ce soir, c'est une aventure de Mickey Mouse. Kiki regarde aussi et il est très content quand un chien vient sur l'écran. Ce programme-ci est pour les jeunes enfants mais mes parents regardent aussi quelquefois.

3. À sept heures je laisse mes devoirs, m'installe devant le poste de télévision et regarde un western. Les batailles entre l cowboys et les Indiens sont passionnante mais elles ne finissent jamais et on do toujours regarder le prochain programm pour découvrir la fin de l'histoire. Heureuse ment, la fin n'arrive jamais.

4. Après ce programme-là, Marie-Claude vient regarder fixement l'écran. Pourquoi? C'est un programme de disques, bien sûr. Cette pauvre jeune fille adore les chanteurs et toutes les chansons. Pendant ce programme-ci, personne n'ose parler. Nous devons tous écouter en silence le nouveau disque.

5. Mon père déteste ces bêtises-là. Il se demande quelquefoi si Marie-Claude est folle. Lui, il aime les choses sérieuses—les actualités télévisées et les discussions. Marie-Claude Alain et moi, nous trouvons ces programmes ennuyeux.

6. Mais mon père aime aussi le sport comme moi. Toujours assis dans notre salon, nous pouvons assister à tous les grands matches de football et de rugby (à 13 et à 15). Nous sommes surtout contents quand la France gagne.

7. Maman aime mieux la deuxième chaîne. (Pour choisir cette chaîne-ci, vous devez simplement tourner un bouton.) Elle doit probablement adorer tous ces vieux films et ces programmes de variétés, mais moi, je déteste toutes ces choses ennuyeuses. Je ne comprends pas comment maman peut tricoter pendant qu'elle regarde fixement l'écran.

8. Oui, je dois dire que nous sommes de fervents de la télévision—sauf Miquet notre chat. Quand le poste marche, i quitte le salon. Notre oncle Pierre di souvent: «Du moins, Miquet doit avoi du bon sens.»

---

le bon sens *good sense*
le bouton *knob*
le chanteur *singer*
les dessins animés *cartoons*
un écran *screen*
le fervent *fanatic*
le héros *hero*
les Indiens *Redskins*
le match *match* (**les matches**)

une aventure *adventure*
la bêtise *stupid thing*
la chaîne *T.V. channel*
la discussion *discussion*
la variété *variety*

assis *sitting, seated*
favori (favorite) *favourite*
fou (fol, folle) *mad*
passionnant *exciting*
prochain *next*
sérieux (sérieuse) *serious*

assister à *to be present at*
se demander *to wonder*
devoir *'must', to have to* (regardez page 67)
marcher *to work, to be 'on'*
oser *to dare*
regarder fixement *to stare at*

en silence *silently*
le rugby à 13 *Rugby League*
le rugby à 15 *Rugby Union*
simplement *merely, simply*

THIS AND THAT; THESE AND THOSE

Ce { chat-**ci** est blanc. / chat-**là** est noir.

Cet { homme-**ci** est mince. / animal-**là** est gros.

Cette { église-**ci** est petite. / gare-**là** est grande.

Ces { enfants-**ci** sont jeunes. / gens-**là** sont vieux.

A

Ce facteur-ci est petit.
Cet agent-là est grand.

(1) noir
blanc

(2) minces
gros

(3) sage
méchante

(4) correct
incorrect

(5) nouvelle
vieille

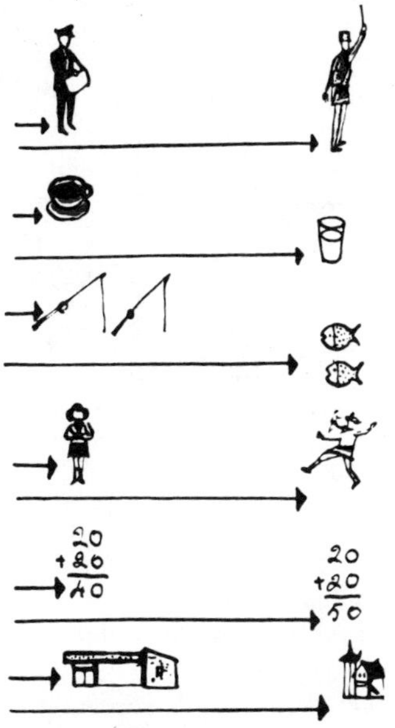

B Voici un enfant perdu.
Cet enfant-ci est perdu.

Voilà une chose remarquable.
Cette chose-là est remarquable.

(1) Voici une fillette intelligente.
(2) Voici une cravate bleue.
(3) Voici des hommes noirs.
(4) Voici une église grise.
(5) Voici un homme riche.
(6) Voici un calcul difficile.
(7) Voici des calculs faciles.
(8) Voilà un avion français.
(9) Voilà un arbre énorme.
(10) Voilà des professeurs cruels.
(11) Voilà une jolie cousine.
(12) Voilà un veston brun.
(13) Voilà un élève stupide.
(14) Voilà un grand homme.

C QUEL EST VOTRE PROGRAMME FAVORI À LA TÉLÉVISION OU À LA RADIO?

Décrivez en 40 à 50 mots votre programme favori. Choisissez entre un dessin animé, un match de football, un programme de disques, et un western.

DEVOIR—*(must)*

Je dois travailler dur, hélas!

Tu ne **dois** pas faire de bruit, Alain.

Il doit se dépêcher.

Maman **doit-elle** se lever à 6 heures?

Nous devons nous laver chaque jour.

Devez-vous manger tout le gâteau?

Ils doivent aller au collège le jeudi.

Elles doivent rentrer toujours avant minuit.

D Répondez:

(1) À quelle heure les Bertillon doivent-ils se lever?
(2) À quelle heure Philippe doit-il arriver au collège?
(3) Quelqu'un regarde les actualités, qui doit-il être?
(4) Qu'est-ce que Miquet doit avoir s'il ne regarde jamais la télévision?
(5) À quelle heure les enfants doivent-ils se coucher?
(6) À quelle heure devez-vous vous lever tous les matins?
(7) À quelle heure devez-vous quitter la maison chaque matin?
(8) À quelle heure devez-vous arriver au collège?
(9) Que doit-on faire si on veut regarder la deuxième chaîne à la télévision?
(10) Que doit-on regarder pour voir la fin des batailles entre les Indiens et les cowboys?
(11) À quelle heure devez-vous vous coucher chez vous?
(12) Si vous faites une omelette, que devez-vous casser?

RÉVISION

A Répondez (employez lire ou écrire dans chaque réponse):

(1) Qu'est-ce que je fais?

(2) Que fais-tu?

(3) Que fait-il?

(4) Que faisons-nous?

(5) Qu'est-ce que je fais?

(6) Que font Philippe et Marie-Claude?

(7) Que fait Marie-Claude?

(8) Qu'est-ce que je fais?

(9) Que faisons-nous?

(10) Que fait Alain?

B Regardez page 66 et répondez (employez ne . . . jamais, ne . . . que, ne . . . personne, etc.):

(1) Y a-t-il trois enfants devant le poste? (Image 2)
(2) Est-ce qu'il y a quelque chose sur le poste? (Image 4)
(3) Kiki est-il encore devant le poste à 7 heures? (Image 3)
(4) Y a-t-il quelqu'un à côté de Marie-Claude? (Image 4)
(5) Y a-t-il des enfants sur l'image? (Image 4)
(6) Est-ce que Philippe aime les vieux films? (Image 7)
(7) Y a-t-il deux personnes sur l'écran? (Image 4)
(8) Qu'est-ce que maman mange ce soir? (Image 7)
(9) Combien de personnes regardent l'écran? (Image 6)
(10) Est-ce que Miquet aime quelque chose à la télévision? (Image 8)

C Employez le verbe savoir dans chaque réponse:

(1) Je . . . .

(2) Il ne . . . .

(3) Tu ne . . . .

(4) Ils . . . .

(5) Vous . . . .

(6) Il . . . .

(7) Elle ne . . . .

(8) Nous . . . .

(9) Elles . . . .

(10) Vous ne . . . .

D Complétez:

(1) Le printemps est la —— saison de l'année.
(2) Jeudi est le —— jour de la semaine.
(3) X est la —— lettre de l'alphabet.
(4) Le jour de l'an est le —— jour du mois de janvier.
(5) Décembre est le —— mois de l'an.
(6) T est la —— lettre de l'alphabet.
(7) L'hiver est la —— saison de l'année.
(8) K est la —— lettre de l'alphabet.
(9) Le 28 février est le —— jour de l'année.
(10) Le 31 décembre est ou le —— ou le —— jour de l'année.

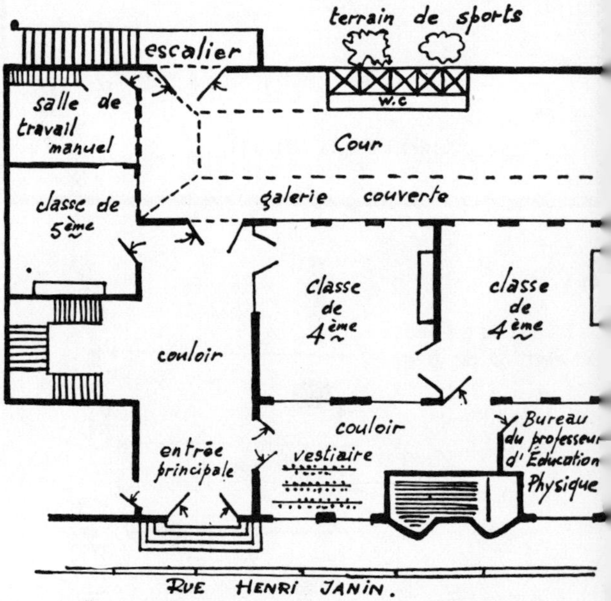

E Où est l'escalier?
Il est au milieu du bâtiment.

(1) Où est le terrain de sports?
(2) Où est la classe de 5ème?
(3) Où sont les deux classes de 4ème?
(4) Où est le bureau du professeur d'éducation physique?
(5) Où sont les W.C.?

L'arbre; la salle de travail manuel.
L'arbre est près de la salle de travail manuel.

(6) Le vestiaire; l'entrée principale.
(7) L'arbre; le terrain de sports.
(8) La galerie couverte; la cour.
(9) La salle de travail manuel; la classe de 5ème.
(10) Le couloir; l'escalier.

RÉVISION

F Complétez avec des verbes en -IR:

Ce soir Philippe —— ses devoirs avant 9 heures. Il trouve la boîte de chocolats de sa mère et va vite —— son chocolat favori quand Mme Bertillon entre. Le pauvre garçon ——, parce qu'elle va certainement —— son méchant fils. Mais maman ne —— pas Philippe. Elle dit, «Vas-y! —— un chocolat. Je ne —— pas les garçons quand ils —— leurs devoirs avant 9 heures.»

G Complétez avec une expression de quantité:

(1) Philippe mange . . . .

(2) M. Bertillon a . . . .

(3) Marie-Claude a . . . .

(4) Voici . . . .

(5) Sur la table il y a . . . .

(6) Voilà . . . .

(7) Voici . . . .

(8) J'achète . . . .

(9) Il trouve . . . .

(10) Nous laissons tomber . . . .

H

(1) Ici on dit «£1» et ici on dit . . . .
(2) Ici on dit «50 p» et ici on dit . . . .
(3) Ici on dit «3 p» et ici on dit . . . .
(4) Ici on dit «*half a pound of butter*» et ici on dit . . . .
(5) Ici on dit «*a pound of tea*» et ici on dit . . . .
(6) Ici on dit «2 *pounds of potatoes*» et ici on dit . . . .
(7) Ici on dit «4 *ounces of chocolate*» et ici on dit . . . .
(8) Ici on dit «*a quart of milk*» et ici on dit . . . .
(9) Ici on dit «*a pint of water*» et ici on dit . . . .
(10) Ici on dit «$6\frac{1}{2}$ *gallons of petrol*» et ici on dit . . . .

I Répondez (employez devenir, contenir, tenir, venir, ou revenir):

(1) Quelle saison arrive après l'hiver?
(2) Qui arrive à la maison avec des devoirs chaque soir?
(3) Que faites-vous à 4 heures de l'après-midi?
(4) Si quelqu'un rougit. . . .
(5) Combien de lettres y a-t-il dans le mot «malheureux»?
(6) À quelle heure votre papa rentre-t-il du bureau?
(7) Qu'est-ce qu'un facteur a à la main généralement?
(8) Comment porte-t-on un parapluie?
(9) Combien de postes de télévision y a-t-il dans la maison Bertillon?
(10) Combien de livres y a-t-il dans votre sac?

J Lisez ces dates à haute voix. Pourquoi sont-elles célèbres?

(1) 14-VII-1789	(6) 4-VIII-1914
(2) 14-X-1066	(7) 11-XI-1918
(3) 18-VI-1815	(8) 3-IX-1939
(4) 23-IV-1564	(9) 15-VII-1945
(5) 30-I-1649	(10) 5-V-1821

K

(a) Ce chien-ci est noir.
(b) Ce chien-là n'est pas noir.

(1) 

(2) 

(3) 

(4) 

(5) 

(6) 

L Complétez avec le verbe devoir et un infinitif:

(1) Je . . . .

(2) Elle . . . .

(3) Nous . . . .

(4) Vous ne . . . .

(5) Je . . . .

(6) Ils . . . .

(7) Tu . . . .

(8) Elles . . . .

L'ARGENT FRANÇAIS

1. Quelquefois Mme Bertillon travaille dans la boutique de Tante Marguerite. Les clients font leurs achats et puis ils viennent à la caisse pour payer. S'ils n'ont pas de monnaie, ils donnent un billet à Madame Bertillon et après quelques instants elle donne la monnaie correcte aux clients.

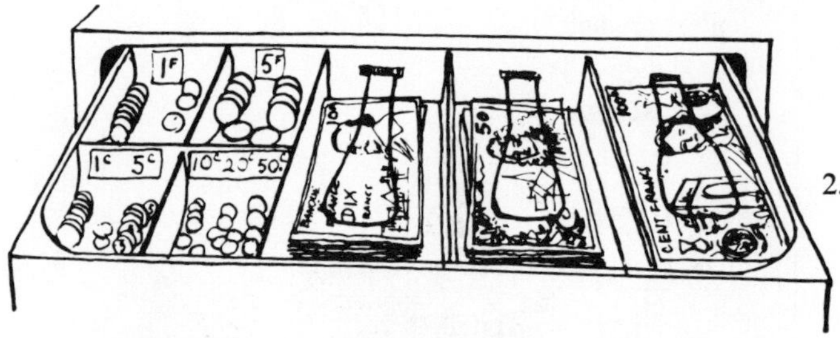

2. Voici le tiroir de sa caisse. Il y a des billets et aussi des pièces de monnaie.

3. Il y a naturellement cent centimes dans un franc. Sur la face d'une pièce d'un franc, il y a les mots «République Française» et la semeuse. Sur la face pile, on trouve la valeur, la date et les grands mots célèbres de la Révolution française: Liberté, Égalité, Fraternité.

4. Aujourd'hui il n'y a presque plus de billets de cinq francs. Au lieu de billets il y a des pièces d'argent.

5. Voici un billet de dix francs. Sur le billet il y a la tête de Voltaire (un grand philosophe français du dix-huitième siècle). Il y a aussi des billets de 50 francs, de 100 francs et de 500 francs. Qui sont les hommes célèbres sur ces billets ? Demandez à votre professeur de français !

PETITE SCÈNE À LA CAISSE

Tante Marguerite: Trois francs cinquante pour monsieur.

Un monsieur (très riche): Malheureusement, je n'ai pas de petite monnaie. Pouvez-vous changer un billet de 500 francs ?

Mme Bertillon: Ah non, monsieur, je n'ai pas assez de monnaie.

Le monsieur: Bon, je vais chercher dans toutes mes poches. Voici deux francs déjà, et quelques petits centimes dans la poche de mon pantalon. Tenez, voilà cinquante centimes dans une autre poche. Combien est-ce que cela fait, madame ?

Mme Bertillon: Trois francs quarante-neuf centimes en tout. Bon, ça va, ça suffit.

Le monsieur: Merci bien. Vous êtes très gentille. Au revoir, et merci.

Quelques jours plus tard, une lettre arrive à la boutique de Tante Marguerite. Elle contient une pièce d'un centime . . . et aussi un billet de dix francs !

A COMBIEN COÛTE . . .?

(1)  $0^{f},60$

(2) 

$2^{f},90$

(3)  3^{f}

(4)  $2^{f},80$

(5)  $0^{f},60$

(6) 

$1^{f},30$

(7)  $0^{f},30$

(8)  $1^{f},20$

(9)  10^{f}

(10)  $1^{f},50$

B FAITES LES ACHATS!

(1) Votre mère vous (*to you*) donne deux pièces de 5 francs. Vous achetez 4 glaces et 100 grammes de chocolat. Combien payez-vous vos achats, et combien vous reste-t-il de monnaie à donner à votre mère?

(2) Maman vous donne un billet de dix francs. Vous achetez un camembert, une baguette et 6 œufs. Combien payez-vous vos achats et combien vous reste-t-il de monnaie à donner à votre mère?

(3) Pour votre anniversaire on vous donne 5 billets de 10 francs. Vous achetez 3 disques. Combien payez-vous les disques, et combien d'argent avez-vous encore?

(4) Vous videz votre tirelire. Elle contient 40 francs. Vous achetez 2 douzaines de sucettes, un kilo de chocolat, et 400 grammes de bonbons. Combien payez-vous ces achats? Et avez-vous mal à l'estomac?

(5) Vous faites les achats pour une vieille voisine. Elle va vous donner la monnaie comme récompense. Elle vous donne 17 francs. Vous achetez une livre de beurre, 2 bouteilles de lait, 4 baguettes, et 18 œufs. Combien d'argent avez-vous comme récompense?

PILE OU FACE?

Jouez à pile ou face avec votre professeur et vos camarades de classe.

Voici les règles du jeu:

Cinq minutes avant la fin du cours, le professeur cherche une pièce d'argent dans sa poche. Il choisit un élève et joue à pile ou face avec lui. Quand le professeur fait tourner la pièce en l'air, l'élève dit «Pile» ou «Face». On regarde la pièce quand elle tombe sur la main du professeur. Si l'élève a raison, il garde (*keeps*) la pièce. Puis il joue avec un autre élève et ainsi de suite (*so on*) jusqu'à la fin du cours. Quand la cloche sonne pour la fin du cours, le jeu est terminé et l'élève avec la pièce d'argent à ce moment-là, peut la garder (si le professeur est généreux!).

L'ARGENT DE POCHE

M. Bertillon donne de l'argent de poche à chacun de ses trois enfants. Tous les vendredis soirs il donne trois francs à Philippe, deux francs à Marie-Claude, et un franc à Alain.

Philippe dépense deux francs par semaine. Généralement il achète du chocolat ou des glaces. Il glisse la troisième pièce d'un franc dans sa tirelire. De temps en temps il doit payer les fenêtres cassées.

Marie-Claude dépense tout son argent de poche tout de suite. Elle achète beaucoup de sucettes. Elle a souvent mal aux dents et elle ne sait pas pourquoi!

Alain achète cent grammes de bonbons par semaine. Il fait des économies aussi car il veut acheter une nouvelle locomotive électrique. Sa tirelire est en forme de cochon.

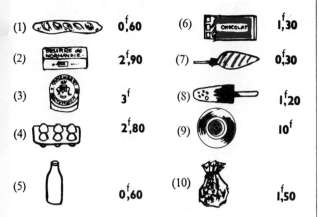

C Répondez:

(1) Combien de pièces d'argent papa donne-t-il à ses enfants par semaine? Et par mois?

(2) Combien d'argent de poche Philippe a-t-il par semaine? Et par mois?

(3) Combien d'argent de poche Marie-Claude a-t-elle par semaine? Et par mois?

(4) Combien d'argent de poche Alain a-t-il par semaine? Et par mois?

(5) Combien de francs d'économies Philippe fait-il par semaine? Et par mois?

(6) Combien de francs d'économies Marie-Claude fait-elle par semaine? Et par année?

(7) Combien de glaces Philippe peut-il acheter par mois?

(8) Combien de sucettes Marie-Claude peut-elle acheter par mois?

(9) Combien de grammes de bonbons Alain peut-il acheter par semaine?

(10) Combien de francs papa donne-t-il aux enfants par année?

---

l'argent de poche *pocket-money*
le cochon *pig*
l'estomac *stomach*
un instant *instant*
le philosophe *philosopher*
le siècle *century*
le tiroir *drawer*

la caisse *cash-desk*
la face *side, heads (of coin)*
la face pile *tails (of coin)*
la locomotive *locomotive*
la pièce d'argent *coin*
la scène *scene*
la semeuse *sower (fem.)*
la tirelire *money-box*
la valeur *value*

coûter *to cost*
dépenser *to spend*
jouer à pile ou face *to toss up*
payer *to pay for*
vider *to empty*

de temps en temps *occasionally*
en forme de *in the shape of*
généralement *usually*
par mois *per month*
par semaine *per week*
10 francs le litre *10 francs a litre*

AU SU

Tout sous le même toit!

Quand vous entrez dans un supermarché, vous prenez un chariot et vous faites le tour du magasin. Les enfants adorent pousser les chariots et quand leur maman est occupée à faire ses achats, ils aiment pousser les chariots très vite. (Faites attention! ceci peut causer un accident!)

Il y a des milliers d'articles sur les rayons. Vous devez consulter votre liste d'achats et puis vous choisissez parmi les paquets, les boîtes, et les bouteilles. Si vous ne pouvez pas trouver les articles et ceci arrive souvent quand les hommes font les achats, il faut parler à une vendeuse. Elle sait où se trouvent toutes les choses.

Pendant que vous êtes au supermarché, vous deve entendre une musique délicieuse mais interminable—ell vient des haut-parleurs situés partout dans le magasin De temps en temps une speakerine annonce le prix de articles ou fait de la publicité pour une spécialité du jour.

Peu à peu vous remplissez votre chariot de provisions e vous cherchez une caisse ouverte où vous devez probable ment faire la queue. Quand c'est votre tour, vous posez vo provisions sur le comptoir devant la caissière. Elle compt les articles, additionne les prix sur une machine automatique et vous payez. Avant de quitter le supermarché, vous videz l chariot et vous posez les provisions dans votre propre panier Une dernière chose—n'oubliez pas de vérifier la monnaie!

---

un accident *accident*
un article *article*
le chariot *trolley*
le choix *choice*
le chou-fleur *cauliflower*
(**les choux-fleurs**)
le comptoir *counter*
le haut-parleur *loudspeaker*
(**les haut-parleurs**)
les milliers *thousands*

le potage *soup*
le reçu *receipt*
le ticket *slip, check*

la banane *banana*
la caissière *cashier (fem.)*
une entrée *entrance*
l'huile *oil*
la liste *list*
une orange *orange*
la poire *pear*
la pomme *apple*

la prune *plum*
la publicité *advertising*
la queue *queue*
la spécialité du jour *today's special offer*
la speakerine *(lady) announcer*
la vendeuse *saleswoman*

A «Où se trouvent . . .?»

Vous êtes la vendeuse près de l'entrée du supermarché.

Que dites-vous quand un monsieur bête vient vous lemander:

«Mademoiselle, où se trouvent les bouteilles de vin, les paquets de farine, les boîtes de poisson, le bifteck et le hocolat?»

B «Attention, attention . . .»

Écrivez cinq annonces de la speakerine quand elle fait de a publicité pour la spécialité du jour. Commencez chaque annonce par les mots:

«Attention, mesdames, attention! Achetez aujourd'hui . . .»

---

utomatique *automatic*
nterminable *unending*
ccupé à faire qq. ch. *busy doing something*
ropre *own*
itué *situated*

additionner *to add up*
arriver *to happen*
causer *to cause*
consulter *to consult*
faire le tour de *to go round*
pousser *to push*
se trouver *to be found*
vérifier *to check*

avant de faire qq. ch. *before doing something*

C Voici quelques fruits et légumes avec leur prix.

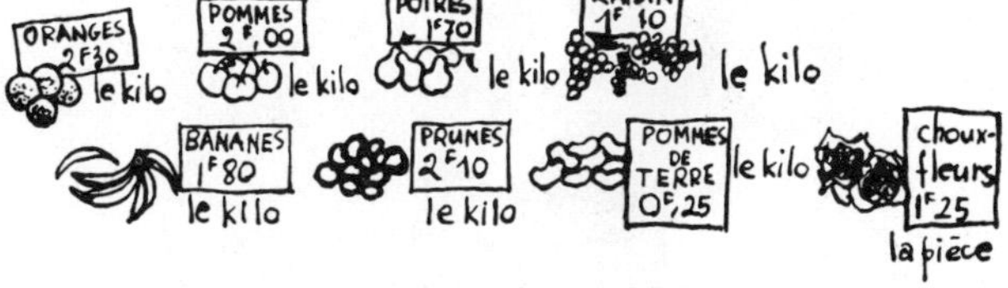

Et voici les tickets de quatre dames. Si elles n'achètent que des fruits et des légumes, qu'est-ce qu'elles ont dans leur panier quand elles quittent le supermarché?

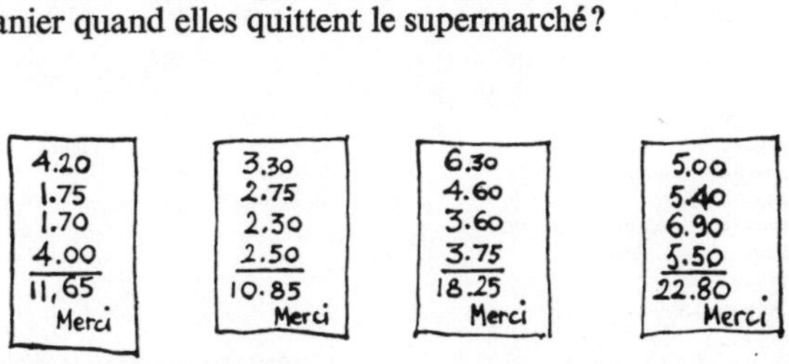

WEEKEND À LA CAMPAGNE I

1. Philippe va passer ce weekend dans une maison de campagne dans la forêt de Fontainebleau près de Barbizon. Cette maison appartient aux parents de son camarade de classe Jean Durand. Michel Durand, le frère aîné de Jean, va venir de Paris, où il vend des chemises d'hommes dans un grand magasin.

2. D'abord les deux jeunes gens doivent aller à Melun pa
le train de midi moins dix-sept. Un car quitte la gare d
Melun pour Barbizon à midi vingt. Barbizon se trouve à 4
kilomètres de Villeneuve et le voyage dure une heure e
demie environ.

3. Samedi matin, à dix heures et demie, Philippe commence à faire ses bagages. La maison de campagne est presque complètement meublée. Philippe doit prendre seulement des draps et des provisions. Il demande à sa mère où sont les draps. Elle répond: «Va prendre une paire de vieux draps dans l'armoire de ma chambre!»

4. Philippe va poser toutes ses affaires dans un immense sa
à dos. Aujourd'hui il perd son temps parce qu'il ne peut rie
trouver. Il pousse des cris désespérés: «Où est ma brosse
dents?» Personne ne répond. «Et mon pyjama?» Silenc
complet: tout le monde est occupé ailleurs; personne n'enten
ses cris.

5. Enfin tout est dans son sac. «Et les draps?» demande maman. «Ils sont bien au fond de mon sac», répond son fils. Il attend l'arrivée de Jean. À onze heures et demie on entend une sonnerie. Oui, c'est Jean en effet. Les camarades quittent la maison pour aller à la gare.

6. À midi moins vingt on entend encore une sonnerie. C'es
Philippe de retour. Ses draps sont toujours sur le tapis de s
chambre. Les deux amis doivent attendre le prochain car. I
quitte la gare de Melun à sept heures moins vingt-cinq
Zut alors!

---

le car *motor-coach*
le drap *sheet*
le frère aîné *elder brother*
les gens *people*
le kilomètre *kilometre* ($\frac{5}{8}$ *mile*)
le sac à dos *rucksack*
le silence *silence*
le weekend *weekend*

une arrivée *arrival*
la campagne *country(side)*
la forêt *forest*
la sonnerie *ringing (of a bell)*

---

complet (complète) *complete*
désespéré *desperate*
meublé *furnished*

appartenir à *to belong to* (*like* tenir)
attendre *to wait for*
durer *to last*
entendre *to hear*
perdre *to lose*
répondre *to reply*
vendre *to sell*
faire ses bagages *to pack*
perdre son temps *to waste one's time*
pousser des cris *to shout*

à une heure environ *about one o'clock*
ailleurs *elsewhere*
au fond de *at the bottom of*
complètement *completely*
en effet *indeed, in fact*

-RE *Verbs*

VENDRE—*(to sell)*

Le pharmacien dit: «Je **vends** des médicaments.»

Est-ce que tu **vends** tes beaux timbres, Jean?

Ne **vends** pas ton pantalon!

Le boucher **vend** de la viande.

Nous **vendons** le vieux poste de télévision.

Vendons la maison!

Est-ce que vous **vendez** des journaux?

Ne **vendez** pas la peau de l'ours avant de l'avoir tué!
(Don't sell the bear's skin before you have killed it= Don't count your chickens . . .)

Les œufs se **vendent** à la crémerie.

A **Complétez avec vendre, répondre, attendre, entendre, ou perdre:**

UN VIEUX MARCHÉ

Dans beaucoup de villes françaises il y a un vieux marché. Là on —— toutes sortes de bruits. —— -vous les cris de cette grosse dame-là? Elle crie beaucoup mais elle ne —— jamais la voix. Elle —— des œufs frais. «Où se —— les tomates?» demandons-nous à une dame. «Là-bas», —— -elle. «M. Artichaut —— tous les légumes.» Que font ces femmes-ci? Elles —— devant l'étalage du charcutier. «Combien les saucisses?» demande la première dame. «Douze francs le kilo.» «Combien?» dit-elle encore. «Je n'—— pas. Il y a trop de bruit.»

B
Retell the story on page 74, imagining that you are Philippe. Begin— **Ce weekend je vais à une maison de campagne . . .**

PRENDRE DANS *(to take out of)*

Les draps sont **dans** l'armoire.

Philippe prend les draps **dans** l'armoire.

C **Vous allez passer un weekend à la campagne. Vous faites vos bagages.**
Où prenez-vous . . .? (Répondez: Je prends mon (ma, mes) —— dans (sur, sous, etc) ——

(1) 
(4) 
(7) 

(2) 
(5) 
(8) 

(3) 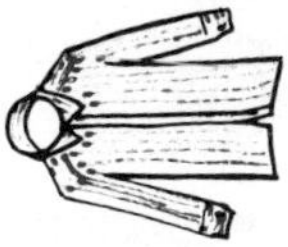
(6) 
(9) 

D **OÙ SE VEND . . .?**
(Ne répondez pas toujours: Au supermarché!)

Le savon se vend à la pharmacie.

Les timbres se vendent au café-tabac.

(1) 

(4) 
(7) 

(2) 

(5) 
(8) 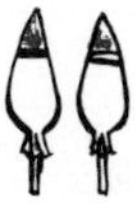

(3) 

(6) 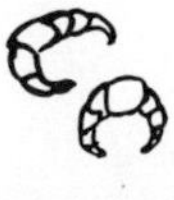
(9) 

WEEKEND À LA CAMPAGNE II

1. Quand les deux garçons descendent du car à Barbizon, il commence déjà à faire nuit. La lune ne brille pas très fort et on ne voit plus rien. Heureusement, Philippe a une lampe de poche qu'il porte toujours à la campagne. C'est la seconde visite que Jean fait à la petite maison et il sait où elle se trouve exactement.

2. Le chemin qu'ils prennent traverse des champs et un petit bois de peupliers. Bientôt ils voient un poteau indicateur à un carrefour. «Ici on va ou à droite ou à gauche», dit Jean qui n'est pas très doué. Ils ne voient personne et donc ils ne peuvent pas demander quel est le bon chemin.

3. Enfin ils prennent la route de droite qui descend assez rapidement, et dix minutes plus tard ils arrivent devant de petits bâtiments qui se groupent de chaque côté du chemin. «Oui, c'est bien ici, vois-tu?» crie Jean. «C'est le premier à droite. Allons voir!»

4. Ils s'approchent d'une petite maison qui est très noire et tout à fait silencieuse. Jean frappe à la porte qui est fermée à clef. Brouhaha indescriptible! Les habitants poussent des cris effroyables. Ce sont des poules et des canards qui se réveillent soudain. Elles n'aiment pas ça, les poules!

5. «Ah! j'ai tort peut-être», dit Jean, qui n'est pas trop intelligent. Ce doit être le premier bâtiment à gauche. Et ils frappent à la porte. Brouhaha indescriptible! Les habitants poussent des cris épouvantables. Ce sont des vaches et des veaux qui se réveillent soudain. Elles n'aiment pas ça, les vaches!

6. À ce moment-là un homme furieux arrive sur les lieux. «Ah!» dit Jean, qui est vraiment un peu bête. «C'est mon frère qui arrive juste à temps. Salut, mon vieux!» «Espèces d'imbéciles!» répond l'homme, qui porte un fusil sous le bras. C'est le fermier qui vient chasser ces idiots de sa basse-cour.

---

le bâtiment *building*
le brouhaha *hubbub*
le canard *duck*
le carrefour *crossroads*
le chemin *road, way*
le fermier *farmer*
le fusil *gun*
un habitant *inhabitant*
le peuplier *poplar tree*
le poteau indicateur *sign-post*
le veau *calf*

la basse-cour *farmyard*
la lampe de poche *torch*
la lune *moon*
la poule *hen*
la vache *cow*

effroyable *terrifying*
épouvantable *dreadful*
fermé à clef *locked*
indescriptible *indescribable*
silencieux (silencieuse) *silent*

chasser *to drive away*
crier *to shout*
descendre *to come down, get down*
frapper *to knock*
se grouper *to be grouped*
voir *to see* (regardez page 77)

à la campagne *in the country*
arriver sur les lieux *to come on the scene*
donc *so, therefore*
espèce d'imbécile! *you utter idiot!*
exactement *exactly*
faire nuit *to be dark*
juste à temps *just in time*
rapidement *rapidly*
salut, mon vieux! *hello, old man!*

WHO, WHOM, WHICH

Voici le fermier. Le fermier porte un fusil.
Voici le fermier **qui** porte un fusil.

Voici la porte. La porte est fermée à clef.
Voici la porte **qui** est fermée à clef.

Voici la maison. Les garçons cherchent la maison partout.
Voici la maison **que** les garçons cherchent partout.

Voici la chemise. Il vend la chemise.
Voici la chemise **qu'**il vend.

N.B. Qui *is never shortened to* qu'.
Que *and* qu' *can never be omitted as in English* (*e.g. the man* (*whom*) *I know*).

A **Complétez avec qui, que ou qu':**

(1) Ils prennent la route de droite —— descend assez rapidement.
(2) Ce sont des poules —— ils trouvent.
(3) L'homme —— arrive sur les lieux est furieux.
(4) C'est le bâtiment de gauche —— contient des vaches.
(5) La maison —— ils cherchent est petite.
(6) Où est le chemin —— nous devons prendre?
(7) Voici la lampe de poche —— je porte toujours.
(8) Malheureusement, ce n'est pas son frère —— arrive.
(9) C'est Jean —— n'est pas très intelligent.
(10) Qui sont les garçons —— le fermier vient chasser de sa basse-cour?

B L'homme est grand. Je regarde l'homme.
L'homme que je regarde est grand.

Employez 'que' ou 'qu'' pour faire une seule phrase:

(1) La viande est chère. Ma mère achète la viande.
(2) La maison est meublée. Ils cherchent la maison.
(3) Le devoir est facile. Nous faisons le devoir.
(4) Le sac à dos est immense. Il porte le sac à dos.
(5) Les draps sont sur le plancher. Il oublie les draps.
(6) Le car est en retard. Ils prennent le car.
(7) Le repas est bon. Elles préparent le repas.
(8) Le bâtiment est plein de poules. Les garçons trouvent le bâtiment.
(9) Le français est facile. Vous apprenez le français.
(10) Le professeur est sévère. Les élèves détestent le professeur.

C

C'est le facteur qui distribue les lettres,

et voici les lettres qu'il distribue.

(1)  

(2)  

(3)  

(4)  

(5)  

(6)  

(7)  

(8)  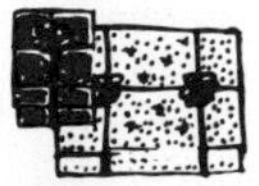

VOIR—*(to see)*

Je vois un petit bâtiment.

Tu vois! J'ai raison.
(**Vois** ci=voici)

Il voit les deux garçons.

Nous voyons le fermier qui arrive.
Voyons! (=*let's see now*, *or come, come!*)

Vous voyez le poteau indicateur, n'est-ce pas?
Voyez!

Ils voient le fusil.

WEEKEND À LA CAMPAGNE III

1. Enfin les deux malheureux amis retournent au carrefour et prennent la route de gauche. Bientôt ils se trouvent devant un autre groupe de petites maisons et cette fois ils entendent la voix de Michel, qui attend anxieusement leur arrivée.

2. Il est presque minuit et les trois garçons se couchent tout de suite. «Ah! mes bons vieux draps», se dit Philippe, qui est très fatigué. Philippe et Jean racontent l'histoire de la basse-cour à Michel, qui éclate de rire. «Seulement des vaches et des oiseaux? Pas de cochons, pas de chevaux? Vous avez de la chance, mes petits.»

3. Le lendemain matin ils se lèvent assez tard. Michel commence à préparer le petit déjeuner. On va manger des tartines et on va boire du café au lait bien sucré—c'est leur boisson favorite.

4. Hélas, il n'y a pas de lait et ils ont soif. Quel dommage! Jean, qui vient de se lever, descend l'escalier et entre dans la vieille cuisine. Michel dit: «Va chercher du lait! Voici une grosse bouteille vide. La ferme n'est pas loin; elle est derrière ces beaux peupliers-là.»

5. Jean passe par le petit bois et se trouve devant une belle ferme. Elle est familière: il ne sait pas pourquoi. Il est fort bête, n'est-ce pas? Il frappe à la porte de la ferme. C'est la grosse fermière qui ouvre. Elle porte un gentil chat aux yeux bleus. Jean demande poliment du lait.

6. Pendant qu'il attend le retour de la fermière, Jean va regarder les chevaux aux yeux doux dans l'écurie. Il entend des voix. Une de ces voix est très familière. Oui, c'est bien le fermier d'hier soir. Il s'approche de l'étable qui est en face de l'écurie et du poulailler. Jean n'attend pas. Il se sauve. Les trois garçons boivent du café noir ce matin-là.

---

le cheval (-aux) *horse*
le groupe *group*
un oiseau (-x) *bird*
le poulailler *hen-house*
le retour *return*

la boisson *drink*
une écurie *stable*
la ferme *farm*
la fermière *farmer's wife*
la route *(main) road*
la voix *voice*

doux (douce) *soft, sweet*
familier (familière) *familiar*
malheureux (malheureuse) *unfortunate*
vide *empty*

boire *to drink* (regardez page 79)
raconter *to tell (a story)*
se sauver *to run away*

anxieusement *anxiously*
avoir soif *to be thirsty*
éclater de rire *to burst out laughing*
fort bête *very stupid*
hier soir *last night*
loin *far*
il vient de se lever *he has just got up*
le lendemain matin *next morning*

poliment *politely*
quel dommage! *what a pity!*

IRREGULAR PLURALS

un homme  des hommes 

une femme  des femmes 

mais attention!

un chapeau  des chapeau**x** 

un cheveu  des cheveu**x** 

un journal  des journ**aux** 

aussi

une voix — des voix
un fils — des fils
un nez — des nez

A **Combien de mots savez-vous qui se terminent en -eu, -eau, -al, -x, -s, -z?**
Faites une liste de ces mots dans votre cahier et n'oubliez pas d'écrire correctement leur pluriel.

B **Regardez les images à la page 78 et répondez à ces questions:**
Employez: c'est (ce sont)—qui . . .
ou c'est (ce sont)—que . . .

(1) Qui attend anxieusement?
(2) Qui va chercher le lait?
(3) Qui ouvre la porte de la ferme?
(4) Que demande Jean?
(5) Que regarde Jean dans l'écurie?

Employez: ce n'est pas X, c'est Y qui (que) . . .

(6) Est-ce que Philippe éclate de rire?
(7) Est-ce que le fermier demande du lait?
(8) Est-ce que Michel est fort bête?
(9) Est-ce que la fermière porte un cheval?
(10) Est-ce que les garçons vônt boire une bouteille de whisky?

BOIRE—*(to drink)*

Je bois de la limonade.

Tu bois du vin, papa.
Ne **bois** pas trop de vin!

Il boit de la bière.

Nous buvons de l'eau quelquefois.
Buvons ensemble!

Vous buvez trop de thé, madame.
Buvez un demi-litre de lait par jour!

Les professeurs **boivent** du whisky, n'est-ce pas?

C

 Tu . . . **Tu bois du vin.**

Complétez avec le verbe boire:

 (1) Ils . . .  (4) Je . . .

 (2) Nous . . .  (5) Tu . . .

 (3) Elle . . .  (6) Il . . .

D **VENIR DE . . .**

L'autobus quitte l'arrêt.  **L'autobus vient de quitter l'arrêt.** 

(1)  (3) 

(2)  (4) 

ALOUETTE

1. Alouette, gentille alouette,
 Alouette, je te plumerai,
 Je te plumerai la tête,
 Je te plumerai la tête,
 Et la tête, et la tête, Oh!

2. Alouette, gentille Alouette,
 Alouette, je te plumerai,
 Je te plumerai le bec,
 Je te plumerai le bec
 Et le bec, et le bec,
 Et la tête, et la tête, Oh!

Et les pattes,
Et le cou,
Et le dos,
(*Pretty skylark, I shall pluck your feathers from your head, your beak, your feet, your neck and your back*).

ORLY—L'AÉROPORT DE PARIS

C'est M. Bertillon qui parle:
(1) Vous savez déjà que je suis douanier à Orly. Aujourd'hui je veux parler de mon travail et de l'aéroport où je travaille car c'est vraiment un endroit remarquable. On dit quelquefois que c'est le carrefour du continent car toutes les quatre minutes un avion s'envole vers une ville lointaine et un autre atterrit. Les avions viennent à Paris de tous les coins du monde. Mais Orly est plus qu'un aéroport—c'est presque une ville . . .

(2) Par exemple, il y a une grande salle pleine de toutes sortes de boutiques où vous pouvez acheter, si vous voulez, non seulement des cadeaux (comme du parfum ou du cognac) mais aussi des journaux, des livres et même des vêtements. Pour la dame qui veut acheter de la nourriture pour sa famille, il y a au sous-sol un grand supermarché, ouvert toute la journée.

(3) Si vous voulez dîner ou déjeuner, entrez dans un des quatre restaurants et prenez un repas délicieux. Quand vous regardez par les grandes fenêtres du restaurant, vous avez une vue splendide des avions sur les pistes. Pour les voyageurs qui doivent attendre leur avion, il y a un cinéma où ils peuvent voir de nouveaux films.

(4) Dans la grande salle d'entrée, les pancartes sont écrites en français et en anglais, mais on peut entendre beaucoup d'autres langues—surtout l'italien, l'espagnol et l'allemand. Pour les voyageurs qui ne veulent pas porter leurs valises, il y a des chariots à bagages, aussi bien que des porteurs qui portent un uniforme brun et vert. Les portes dans cette salle sont très commodes—quand on arrive devant une porte, elle s'ouvre automatiquement!

(5) N'oublions pas les touristes, car ils sont très nombreux en été. Nous avons plusieurs grandes terrasses réservées aux visiteurs qui viennent par milliers au mois d'août quand il fait beau. Parmi eux on voit beaucoup de jeunes garçons qui viennent observer les avions qu'ils trouvent formidables. De ces terrasses on peut voir tout l'aéroport—les avions, les pistes et les tours de contrôle.

(6) Et moi? Je passe ma journée aux douanes françaises. J'inspecte les bagages des voyageurs qui arrivent. Ils passent devant ma table, ils ouvrent leurs valises et je pose des questions. Mon travail est dur—je commence à sept heures et je rentre chez moi à dix-neuf heures (et je n'ai qu'une heure pour déjeuner à la cantine).

Malgré cela j'aime être douanier car je rencontre beaucoup de gens intéressants, et si, un de ces jours, je réussis à attraper un contrebandier, je serai riche!

VOULOIR—*(to want)*

Je veux aller à Orly.

Tu veux dîner à 19 heures.

Maman **veut** prendre l'avion.

Nous voulons voir un film.

Vous voulez monter à la terrasse.
Veuillez attendre ici, monsieur.

Ils veulent rentrer tout de suite.

A Complétez avec vouloir:
1) —— -tu te laver le cou?
2) Je ne —— pas me lever le matin.
3) —— emporter une lettre à cette adresse!
4) Leur mère —— faire des courses.
5) Ces clients —— un repas très chaud.
6) M. Bertillon —— attraper un contrebandier.
7) Nous ne —— pas aller au supermarché aujourd'hui.
8) Ne —— -tu jamais faire tes devoirs?
9) Marie-Claude et Philippe —— aller voir leur père à Orly.
10) —— ouvrir vos valises, messieurs!

B *The numbers refer to the photographs and paragraphs on page* 80.

Répondez à ces questions sur l'aéroport d'Orly:

(1) Qui est douanier? 1
(2) Pourquoi l'aéroport d'Orly est-il remarquable? 1
(3) Combien d'avions arrivent par heure, par jour? 1
(4) D'où viennent tous ces avions? 1
(5) Où se trouve le supermarché? 2
(6) Combien de restaurants y a-t-il? 3
(7) Qu'est-ce qu'on peut voir au cinéma? 3
(8) Qui voit-on sur la terrasse? 5
(9) Qu'est-ce qu'on voit sur les pistes? 5
(10) Comment s'appelle l'homme en uniforme? 6

C Un jour pendant les vacances, les enfants visitent l'aéroport d'Orly. Décrivez leur visite en 80 mots.
—À quelle heure quittent-ils la maison?
—À quelle heure arrivent-ils à Orly?
—Montent-ils sur les terrasses?
—Prennent-ils quelque chose aux cafés ou aux restaurants?
—Visitent-ils le supermarché et le cinéma?
—Voient-ils M. Bertillon aux douanes françaises?
—À quelle heure rentrent-ils?
—Sont-ils fatigués et ont-ils faim?

ET VOICI UNE CARAVELLE...

l'allemand *German language*
le chariot à bagages *luggage trolley*
le cognac *brandy*
le continent *continent*
le contrebandier *smuggler*
un endroit *place*
l'espagnol *Spanish language*
l'italien *Italian language*
le porteur *porter*
le sous-sol *basement*
le touriste *tourist*
la cantine *canteen*
la douane *customs*
la langue *language*
la pancarte *notice-board*
la piste *runway*
la terrasse *terrace*
la tour de contrôle *control-tower*
la vue *view*
formidable *'smashing', 'great'*
lointain *distant*
nombreux (nombreuse) *numerous*
remarquable *remarkable*
réservé à *reserved for*
splendide *splendid*
atterrir *to land*
s'envoler *to fly away, take off*
inspecter *to inspect*
observer *to watch*
vouloir *to want, to wish* (regardez page 81)
aussi bien que *as well as*
je serai *I shall be*
malgré *in spite of*
non seulement . . . mais aussi *not only . . . but also*
plus que *more than*
toutes les quatre minutes *every four minutes*

AU VOLEUR!

1. Il est dix-huit heures. Le pauvre M. Bertillon est fatigué à la fin d'une longue journée de travail. Les avions atterrissent et s'envolent sans cesse et il n'a pas le temps de se reposer. Il écoute le haut-parleur qui annonce l'arrivée d'un avion suisse et il attend les passagers.

2. Les gens passent devant le douanier et répondent à se questions. Les passagers sont en général des Français qu retournent à Paris après leurs vacances en Suisse, mais il y a aussi des voyageurs de commerce qui viennent d'Allemagne de Suisse et d'Italie.

3. M. Bertillon interroge un Suisse qui a un nom curieux, qu'il épelle «S-C-H-W-A-R-Z». Le douanier entend un petit bruit, une sorte de tic-tac. Il demande à l'homme d'ouvrir sa valise. À l'intérieur, M. Bertillon ne trouve rien d'extraordinaire mais il est toujours méfiant. Il décide de consulter l'inspecteur principal.

4. Il va au téléphone et appelle l'inspecteur principal. Mai le voyageur suisse a peur et pendant que M. Bertillon a le dos tourné, il saisit sa valise et se sauve à toute vitesse.

5. M. Bertillon laisse tomber le téléphone, saute par-dessus la table et se dépêche d'attraper l'homme mystérieux.

6. L'homme est sur le point de s'échapper quand M. Bertillon a une bonne idée—il saisit une valise qui se trouve sur un chariot à bagages et, malgré les cris du porteur étonné, il jette la valise vers l'homme, qui trébuche et tombe par terre. M. Bertillon et les agents de police découvrent que l'homme est un contrebandier car le couvercle de la valise contient des centaines de montres suisses que l'homme veut passer en fraude.

7. Quelques jours plus tard, une enveloppe officielle arrive à la maison Bertillon. Papa l'ouvre avec curiosité et trouve une lettre de félicitations du directeur de la douane. Mais ce n'est pas tout—il y a aussi une récompense —un chèque de 5 000 francs.

---

le chèque *cheque*
le cri *cry*
le directeur *director*
le dos *back*
l'intérieur *inside*
un inspecteur principal *chief inspector*
le passager *passenger*
le tic-tac *tick-tock*
le vol *flight*
le voyageur de commerce *commercial traveller*

l'Allemagne *Germany*
une centaine de *hundred of*
la curiosité *curiosity*
une enveloppe *envelope*
la félicitation *congratulation*
l'Italie *Italy*
la récompense *reward*
la Suisse *Switzerland*

étonné *astonished*
extraordinaire *extraordinary*
méfiant *suspicious*
officiel (officielle) *official*
suisse *Swiss*

appeler *to call* (regardez page 83)
s'appeler *to be called*
décider de *to decide to*
demander à qqn de faire qq. ch. *to ask somebody to do something*
s'échapper *to escape*
épeler *to spell*
jeter *to throw*
laisser tomber *to drop*
passer en fraude *to smuggle*
trébucher *to stumble*

au voleur! *stop thief!*
en général *generally*
en provenance de *coming from*
par-dessus *over*
sur le point de *about to*

S'APPELER*—*(to be called)*

Je m'appelle Bertillon.

Tu t'appelles Jean.

Il s'appelle Schwarz.

Nous nous appelons les Leroy.

Vous vous appelez M. Temps.

Ils s'appellent Roger et Simone.

ike **s'appeler** *are* **jeter** (*double t*) *and* **épeler:**

Complétez avec appeler, s'appeler, jeter ou épeler:

) —— ce mot-là, mon petit!
) Philippe —— la valise par terre.
) Comment vous —— -vous?
) Le voleur se sauve, mais l'épicier —— les agents.
) Ce bâtiment —— une église.
) Ne —— pas ces papiers, les enfants!
) Quel est le mot qu'elle ——?
) Ces deux jeunes idiots —— Denise et Marcel.
) Nous —— les bagages en l'air.
0) Si vous voyez un voleur, —— la police!

B

I. Bertillon's capture of the thief is the subject of a column « «France-Soir». Tell his story as he tells it to the reporter. 'se 60 to 80 words, and begin
Alors je vois ce monsieur suisse qui s'approche de moi . . .»
on't forget to describe what the man looks like as well as hat he does.

C *You must use a reflexive verb in each answer.*

épondez:

(1) Quel est son nom?

(2) Qu'est-ce que je fais?

(3) Que fait-elle?

(4) Que font les voleurs?

(5) Qu'est-ce que tu fais?

(6) Que fait M. Bertillon?

(7) Que faisons-nous?

(8) Que faites-vous?

(9) Que fait l'oiseau?

(10) Que font ces trois garçons?

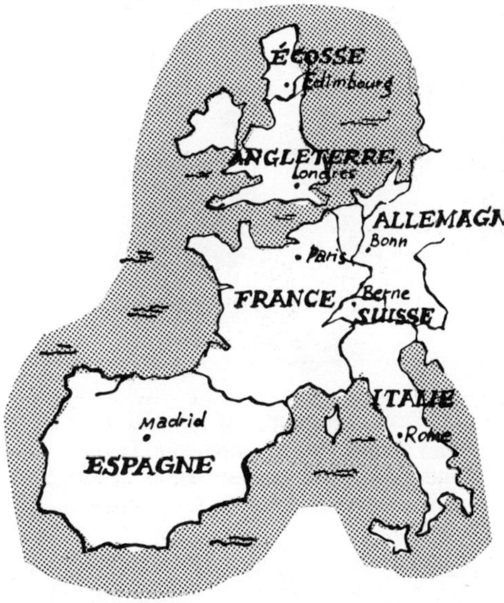

MAI		MAI	
dimanche .11	Paris	Jeudi .15	Londres
lundi .12	Rome.	vendredi .16	Édimbourg
mardi .13	Berne	Samedi .17	Paris
mercredi .14	Bonn	dimanche .18	Madrid

D **Aujourd'hui M. Michelin, voyageur de commerce, est à Villeneuve en France. Voici son agenda pour la semaine prochaine.**

Répondez:

(1) Où va-t-il le 11?
(2) Dans quelle ville se trouve-t-il le 16?
(3) Où arrive-t-il le 14?
(4) Où revient-il le 17?
(5) Où est-il le 12?
(6) Où va-t-il le 15?
(7) Dans quel pays se trouve-t-il mardi?
(8) Dans quel pays se trouve-t-il vendredi?
(9) Dans quel pays se trouve-t-il lundi?
(10) Dans quelle ville se trouve-t-il le 11?

RÉVISION

A Complétez (regardez page 79):

(1) Voici quatre ——.

(2) Voici trois —— énormes.

(3) Voici trois —— de dames.

(4) Voici les deux —— de M. Bertillon.

(5) Voici six petits ——.

(6) Regardez ces deux —— français.

(7) Voilà deux jolis ——.

(8) Ne mangez pas ces quatre ——.

(9) Ce sont deux jolis ——.

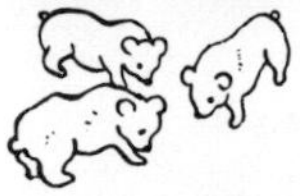
(10) Attention! Trois jeunes —— arrivent.

B

Je vois l'homme. L'homme est au coin de la rue.
(a) Je vois l'homme qui est au coin de la rue.
(b) L'homme que je vois est au coin de la rue.

(1) Les voyageurs portent les valises. Les valises sont lourdes.
(2) Je regarde les terrasses. Les terrasses sont réservées aux touristes.
(3) Les garçons regardent les avions. Les avions sont formidables.
(4) L'homme est contrebandier. M. Bertillon observe l'homme.
(5) Je cherche la dame anglaise. La dame anglaise est grande mais pas belle.

C ***Here are some dictionary definitions. Can you guess what words they define?***

(1) Région de l'Europe centrale divisée depuis 1949 en deux pays.

(2) Partie d'une ferme où on trouve les poules, etc.

(3) Bâtiment où on loge les poules.

(4) Argent qu'on donne à quelqu'un en reconnaissance (*recognition*) d'une bonne action.

(5) Congé de fin de semaine, du samedi au lundi.

(6) Couvre un pot, une boîte, etc.

(7) Habitant d'une république fédérale de l'Europe centrale (6 147 000 habitants).

(8) Bruit d'une pendule, par exemple.

(9) Cessation de tout bruit.

(10) Grande voiture automobile de transport en commun, pour excursions, tourisme, etc.

Et maintenant, faites quelques définitions vous-mêmes!

D OÙ SUIS-JE?

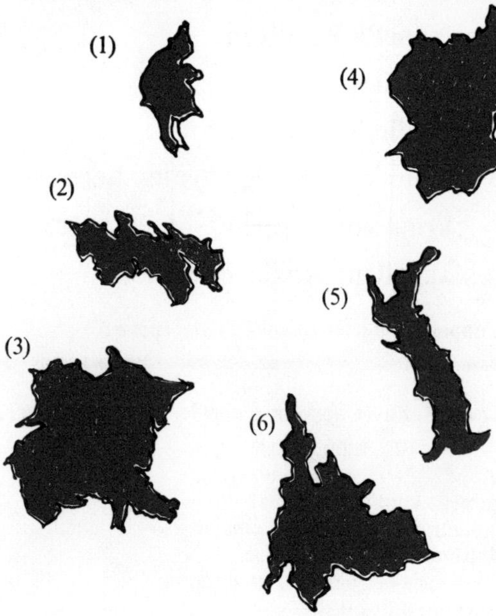

E Répondez:

(1) Comment vous appelez-vous?
(2) Comment s'appellent vos voisins?
(3) Qu'est-ce qu'un joueur de rugby jette?
(4) Jetez-vous de la craie en classe?
(5) Comment s'appelle la capitale de l'Écosse?
(6) Qui appelle l'inspecteur à la page 82?
(7) Épelez-vous souvent des mots français?
(8) Comment s'appelle votre professeur d'histoire?
(9) Qui est-ce qu'on appelle Pipeau?
(10) Jetez-vous vos cahiers par la fenêtre à la fin de l'anné scolaire?

F Répondez:

(1) Que veut ce garçon?

(2) Que voulez-vous?

(3) Que veut Kiki?

(4) Qu'est-ce que ces gens veulent faire?

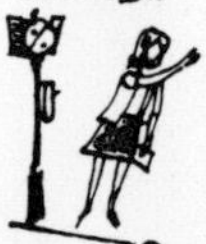
(5) Que veut-elle faire?

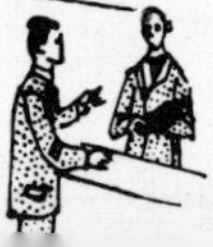
(6) Qu'est-ce que je veux faire?

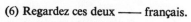

RÉVISION

Combien Madame Bertillon doit-elle payer à la caisse?

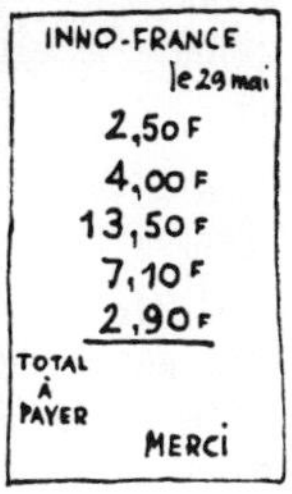

(3)

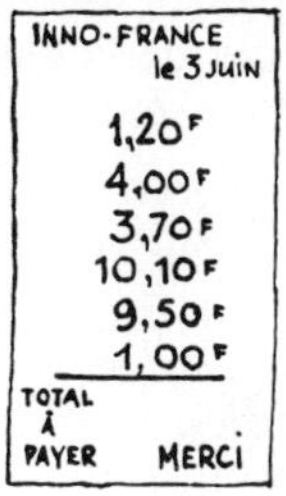

(5)

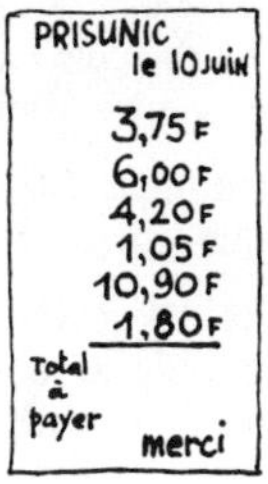

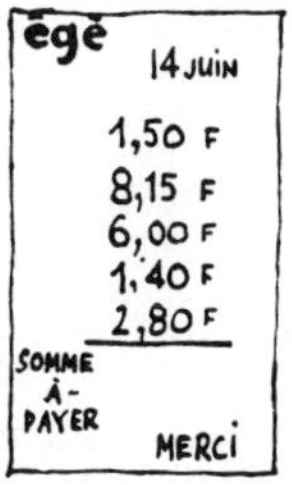

(4)

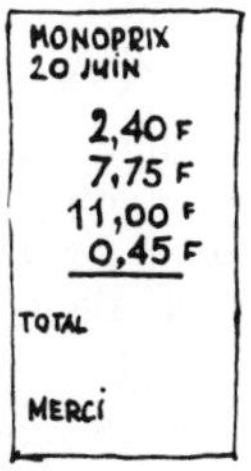

(6)

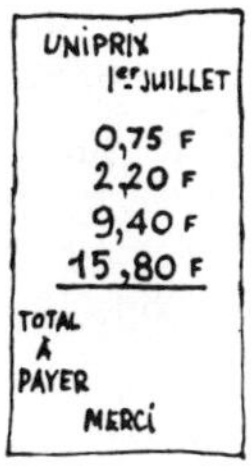

Qu'est-ce que c'est?
(a) C'est un kilo de saucisses.
(b) C'est de la viande.
(c) Ce sont des saucisses.

(6) 

(7) 

(8) 

(9) 

(10) 

Répondez (choisissez un verbe dans cette liste: attendre, entendre, perdre, répondre, vendre):

(1) Qu'est-ce que je fais?

(2) Que fait-il?

(3) Que faisons-nous?

(4) Que font ces femmes?

(5) Qu'est-ce qu'elle fait?

(6) Qu'est-ce qui se vend ici?

(7) Qu'est-ce que vous perdez?

(8) Que font ces gens à la gare?

(9) Que fait Marie-Claude?

(10) Qu'est-ce que j'entends?

J **Complétez avec une liste de 5 objets au moins:**

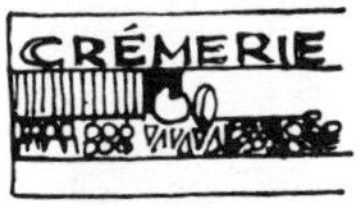

(1)
Ici se vendent . . .

(4)
Ici se vendent . . .

(2)
Ici se vendent . . .

(5)
Ici se vendent . . .

(3)
Ici se vendent . . .

(6)
Ici se vendent . . .

K QUEL EST MON MÉTIER?

Choisissez un métier dans cette liste: facteur, contrebandier, speaker(-ine), cassier(-ière), fermier(-ière), vendeur(-euse), charbonnier, porteur, directeur(-trice), boulanger(-ère), jardinier, pharmacien(-ienne), douanier, agent de police, employé(-e), receveur, professeur, médecin, voyageur de commerce.

One pupil chooses a job and answers the questions (*en français, bien entendu*) of the rest of the class. He may only answer* «oui» *or* «non»*. After ten questions or two incorrect challenges (e.g.* Es-tu agent? Non*), he has beaten the class.

PERDU DANS «LA SALLE DES PAS PERDUS»

Il est cinq heures du soir. Philippe vient de rentrer du collège. Il a l'air triste et fatigué.

Mme Bertillon: Du courage, mon petit. Qu'y a-t-il?

Philippe: Ah, maman, j'ai beaucoup de devoirs à faire.

Mme Bertillon: Et ils sont tous difficiles, n'est-ce pas?

Philippe: Ah oui, mais le plus difficile est une rédaction française sur une grande gare. Tu sais que je suis moins fort en français qu'en toutes les autres matières. Je ne suis pas du tout doué.

Mme Bertillon: Mais si, Philippe. Ne sois pas triste. J'ai une bonne idée, moi. Demain Papa a un jour de congé. Vous pouvez aller ensemble à Paris voir une grande gare. Partez tout de suite après le déjeuner et emmenez Alain avec vous. Cela sera une bonne excursion.

Philippe: Bon, d'accord.

C'est le lendemain. M. Bertillon, qui porte son pardessus et son chapeau gris aujourd'hui, est prêt à sortir de la maison pour aller à la gare. Il consulte sa montre.

M. Bertillon: Allez, Philippe, Alain, nous allons manquer le train.

Philippe: Oui papa, j'arrive.

Alain: Oui papa, je suis prêt.

M. Bertillon: (*qui parle à sa femme*) Au revoir, chérie. (*à Marie-Claude*) Sois sage, ma petite, et aide ta maman!

Alain et Philippe: Au revoir, maman.

Mme Bertillon: À ce soir. Bon voyage et bonne journée!

À la gare de Villeneuve, les trois Bertillon attendent sur un quai. M. Bertillon consulte encore une fois sa montre.

M. Bertillon: Voyons, il est presque midi vingt. Ah oui, voici notre train qui arrive. Philippe, tu es plus grand que ton frère. Monte le premier et va chercher trois places libres!

Philippe: Par ici, papa. Il y a trois places dans ce compartiment.

Alain: Moi, je veux être à côté de la fenêtre.

M. Bertillon: Bon, assieds-toi là et regarde les trains!

Philippe: Est-ce qu'il faut une demi-heure pour arriver à Paris, papa?

M. Bertillon: Mais non, le voyage n'est pas aussi long que cela. Vingt minutes au maximum.

Alain: Oh! Philippe, regarde ce beau train-là. Il est beaucoup plus grand que le petit train que j'ai chez nous.

Philippe: Bien sûr, idiot!

À la gare de Lyon à Paris, ils entrent dans «la salle des pas perdus». Il y a beaucoup de monde et les trois Bertillon ont de la difficulté à rester ensemble dans la grande foule de voyageurs.

Philippe: Mais c'est une gare énorme, beaucoup plus gran que notre petite gare à Villeneuve.

M. Bertillon: Bien sûr—cette gare est peut-être la pl grande gare de Paris. Tous les trains qui viennent du Mi de la France arrivent ici. Regarde là-bas, c'est le meille train de France. Tiens, il est sur le point de partir. . . .

Voix du haut-parleur: Sur la voie 11, train rapide un, « Mistral», départ treize heures, pour Dijon, Lyon, Valenc Avignon, Marseille (Saint-Charles).

M. Bertillon: Tu sais, Philippe, que les locomotives éle triques sont plus rapides que les vieilles locomotives vapeur qui sont démodées. Regarde, tu peux voir . . . ma dis donc Philippe, où est Alain? Je ne vois plus ton pe frère.

Philippe: Je ne comprends pas comment il peut se perdre facilement.

M. Bertillon: Eh bien, dépêchons-nous. Va voir s'il est buffet; moi, je vais au bureau de renseignements. Oh! qu garçon, ce jeune Alain! Où peut-il être?

Quelques minutes plus tard. . . .

Philippe: Il n'est pas au buffet, papa.

M. Bertillon: Que c'est inquiétant! Il ne peut pas être sur quais—on défend aux voyageurs sans billets de passer barrière.

Voix du haut-parleur: Attention, attention! On cherche parents d'Alain Bertillon. Les parents d'Alain Bertillon, Villeneuve, sont priés de venir chercher leur fils dans bureau du chef de gare. . . .

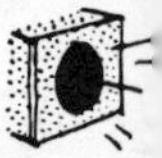

Ce soir-là, Philippe, Alain et leur père rentrent tard à maison.

Mme Bertillon: Vous voilà enfin. Pourquoi êtes-vous retard?

M. Bertillon: C'est un peu long à expliquer, mais ce n'est q grâce à un porteur et au chef de gare que nous avo toujours Alain, plus ou moins sain et sauf.

Mme Bertillon: Et la rédaction de Philippe?

Philippe: Elle sera la meilleure de la classe. J'ai beaucou d'idées et un bon titre—«Perdu dans la salle des pas perdus

---

le bureau de renseignements *enquiry office*
le chef de gare *station-master*
le compartiment *compartment*
le jour de congé *day off*
le Midi *South of France*
le quai *platform*
le tas *heap, pile*
le titre *title*

la barrière *barrier*
la difficulté *difficulty*
la foule *crowd*
la locomotive à vapeur *steam engine*
la place *seat (in train)*
la salle des pas perdus *entrance hall in station*

démodé *old-fashioned*
inquiétant *disturbing*
meilleur *better*
le meilleur *best*
prêt à *ready to*
prié de *requested to*
sain et sauf *safe and sound*

avoir l'air triste *to look sad*
défendre à qqn de faire qq. ch. *forbid someone to do something*
dormir *to sleep* (regardez page 87)
emmener *to take (a person somewhere)*
manquer *to miss*
partir *to depart, leave* (regardez page 87)
sera *will be*
sois, soyons, soyez *command forms of* **être**
sortir *to go out* (regardez page 87)

au maximum *at the most*
beaucoup de monde *lots of peo*
du courage! *cheer up!*
grâce à *thanks to*
par ici *this way*
pas du tout *not at all*
plus ou moins *more or less*
qu'y a-t-il? *what's the matter*

COMPARATIVE

Le train de la S.N.C.F. est **plus grand que** le train d'Alain.

La locomotive à vapeur est **moins grande que** la locomotive électrique.

Sa sœur est **aussi grande que** lui.

Les locomotives sont **plus rapides que** les vélos.

Les locomotives à vapeur sont **moins modernes que** les locomotives électriques.

Elles ne sont pas **aussi grandes que** leurs frères.

(i) Le garçon est plus grand que la jeune fille.
(ii) La jeune fille est moins grande que le garçon.
(iii) La jeune fille n'est pas aussi grande que le garçon.

1) rapide

2) long

3) petite

(4) courte

(5) beaux

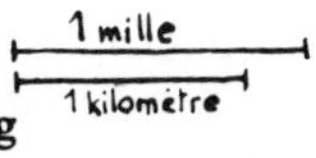

(6) intelligents

SUPERLATIVE

Voici les enfants Bertillon.

Philippe est l'enfant **le plus âgé des** Bertillon.
Marie-Claude est la jeune fille **la moins sage de** sa classe.
Alain et sa sœur sont les membres **les plus jeunes de** la famille.
Philippe et sa sœur sont quelquefois les enfants **les moins intelligents du** quartier.

B Voici trois fils:

(i) Le jeune homme est le plus âgé des trois fils.
(ii) Le garçon est le plus triste des trois fils.
(iii) Le bébé est le plus petit des trois fils.

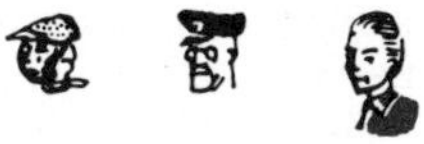

(1) Voici trois hommes: le charbonnier sale; le vieux facteur; le beau professeur.

(2) Voici trois voitures: la rapide Ferrari; la silencieuse Rolls; la confortable D.S.

(3) Voici trois magasins: le nouveau supermarché; le vieux magasin de meubles; le petit café-tabac.

(4) Voici trois animaux: l'éléphant lourd; le cochon sale; le chat propre.

(5) Voici trois bouteilles: la vieille bouteille de vin; la grande bouteille de lait; la petite bouteille de cognac.

DORMIR, PARTIR, SORTIR

Je pars de ma maison.
Tu sors de la salle.
   Sors d'ici!
Alain **dort** à table.
Nous sortons sous la pluie.
   Partons à 18 heures!
Vous sortez le soir.
   Dormez-vous, Frère Jacques?
Elles partent pour Paris.

C Répondez:

(1) Que fait-il?

(2) Que fais-je?

(3) Que font-ils?

(4) Que font les Bertillon?

(5) Que fait Marie-Claude?

(6) Que font-elles?

(7) Que faites-vous?

(8) Que fait-on?

LA G

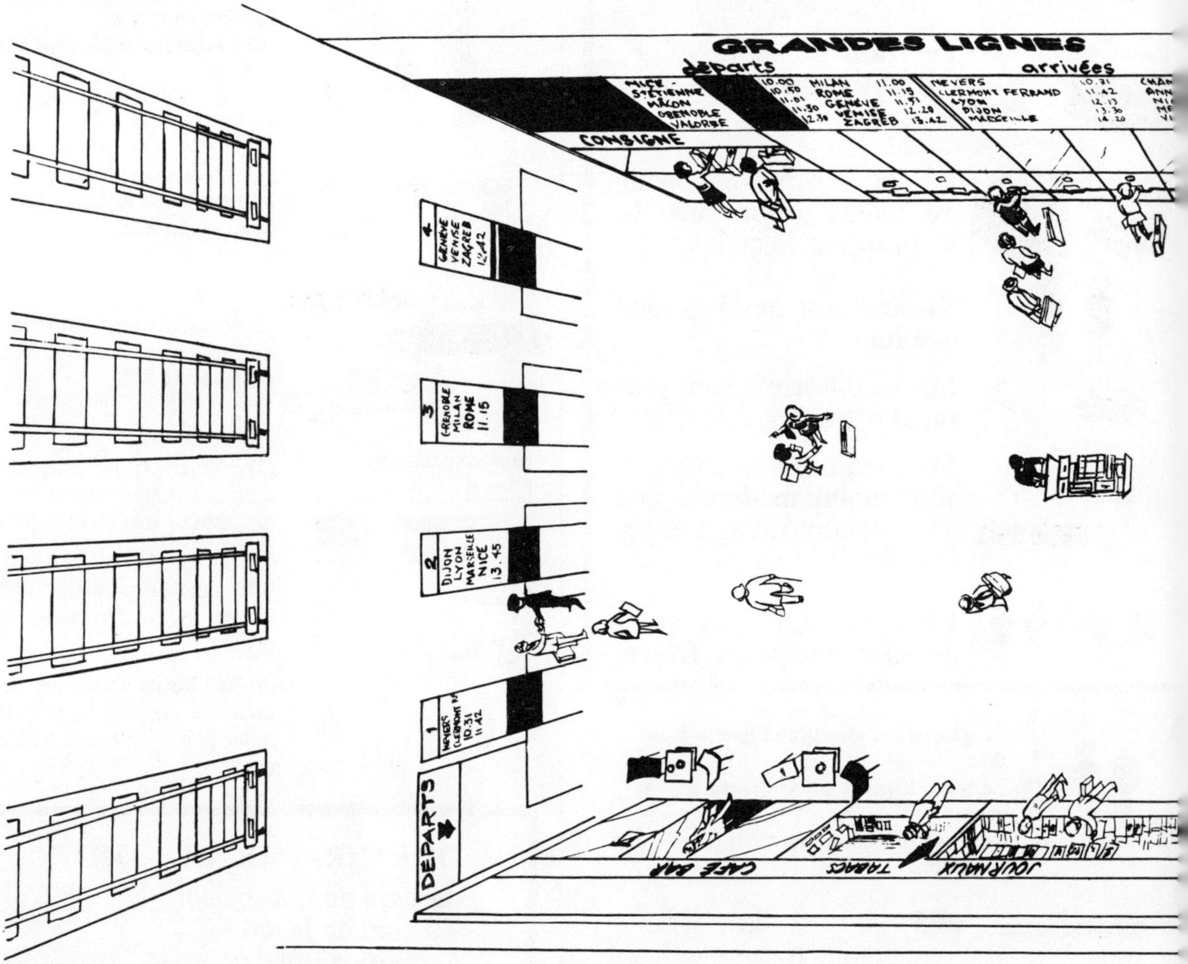

AU BUREAU DE RENSEIGNEMENTS

L'homme: Pardon, monsieur, pouvez-vous me renseigner sur les trains pour Dijon, s'il vous plaît?
L'employé: Oui, monsieur. Ils partent toutes les deux heures à partir de neuf heures.
L'homme: Sur quelle voie?
L'employé: Sur la voie 13, monsieur.
L'homme: Merci bien.
L'employé: À votre service, monsieur.

AU GUICHET

La dame: Un billet pour Marseille, s'il vous plaît.
L'employé: En première classe, ou en seconde, madame?
La dame: En première, s'il vous plaît.
L'employé: Un aller simple ou un aller et retour?
La dame: Un aller et retour. C'est combien?
L'employé: 304 francs, madame.
Le voyageur: Un aller et retour pour Lyon, seconde classe.
L'employé: Voilà, monsieur. Ça coûte 122 francs.

À LA CONSIGNE

Le touriste: Je veux déposer ma valise ici.
L'employé: Oui, monsieur. Jusqu'à quand?
Le touriste: Jusqu'à six heures ce soir seulement.
L'employé: Alors, c'est un franc par valise, monsieur.

À LA BARRIÈRE

Le contrôleur: Pardon monsieur, mais ce n'est pas le bon billet.
Le voyageur: Mais si. C'est bien le train de Bordeaux.
Le contrôleur: Pas du tout, monsieur. Le train de Bordeaux part de la gare d'Austerlitz.
Le voyageur: Ah! bon! excusez-moi.
Le contrôleur: De rien, monsieur.

À LA SORTIE

La dame: Où est la station de taxis?
Le porteur: Là-bas, madame. C'est à deux pas.
La dame: Voulez-vous prendre mes bagages, s'il vous plaît!
Le porteur: Oui, madame. . . . Taxi, taxi! Voici un taxi pour vous, madame.
La dame: Merci bien, monsieur. C'est combien par valise?
Le porteur: Deux francs, madame.
La dame: Voilà, merci.
Le porteur: Merci, madame. Au revoir, madame.

DANS «LA SALLE DES PAS PERDUS»

Le petit garçon: Qu'est-ce que c'est, papa, derrière le porteur.
Papa: C'est un chariot et il sert à transporter les valises des voyageurs, Hippolyte.
Le petit garçon: Papa, à quoi ça sert? Ce bureau-là?

LYON

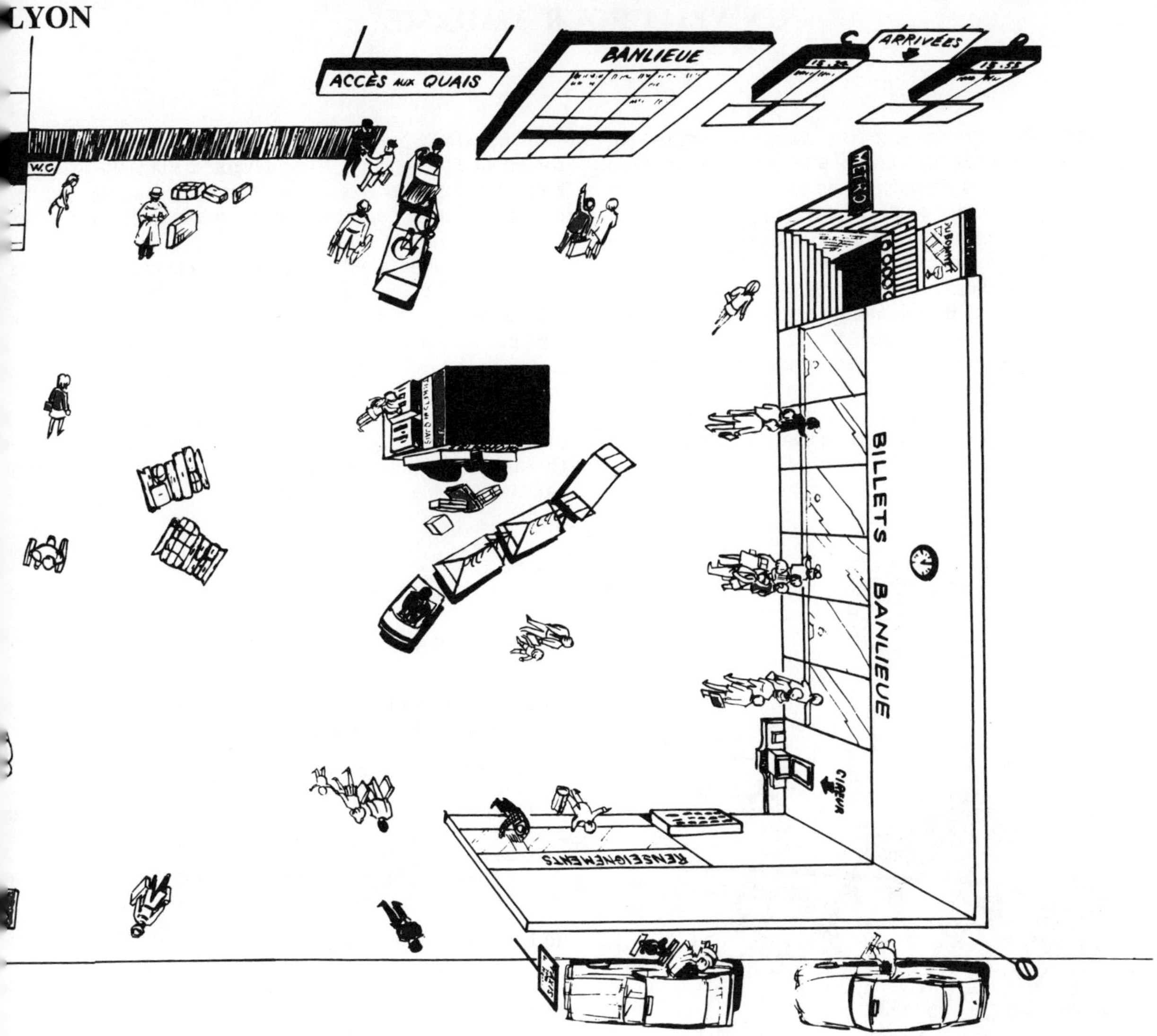

apa: C'est un guichet. C'est là où on prend son billet, Iippolyte.
e petit garçon: Papa, à quoi sert ce bureau-là. Regarde! a dame vient de sortir par la porte.
apa: Tais-toi, Hippolyte!

A **Vous êtes le porteur au milieu de la salle des pas perdus. Les voyageurs demandent sans cesse des renseignements. Donnez une réponse (polie) à ces questions.**

1) Où puis-je acheter une boisson?
2) À quelle heure part le Mistral?
3) Où est la voie D?
4) Où sont les taxis?
5) Où est le métro?
6) Où puis-je prendre un billet pour la banlieue?
7) Où puis-je déposer ma valise?
8) Sur quelle voie part le train de Bordeaux?
9) Où sont les W.C.?
10) Où est la gare de Lyon?

B **À QUOI SERT . . .?** ***(What is . . . for?)***

un chariot? la consigne? une valise? l'horloge de la gare? le kiosque à journaux? un taxi? le bureau de renseignements? le métro?

Now invent some more* À quoi sert . . .? *questions about other objects shown earlier in this book.

C ***Write a short description (60–70 words) of a station near your home.***

---

un aller simple *single ticket*
un aller et retour *return ticket*
un billet *ticket*
le contrôleur *ticket collector*
un employé *clerk*
le guichet *booking-office*
le métro *Underground*
le taxi *taxi*

---

la banlieue *suburbs*
la consigne *left-luggage office*
la station de taxis *taxi rank*
la voie *side of platform*

déposer *to deposit, to leave* (*in a place*)*; to put down* (*on the ground*)
renseigner *to give information to*

à deux pas *nearby* (*two paces away*)
à partir de *starting from*
à quoi cela sert-il? *what's that for?*

UN VÉLO POUR MADAME

Cette image vous étonne peut-être, mais c'est vrai—j'ai un nouveau vélo. C'est un cadeau d'anniversaire de mon mari. Ah oui, je vous entends. Vous dites qu'un nouveau vélo coûte cher. Oui, d'accord, mais cette année mon mari peut donner un cadeau spécial à toute la famille, grâce à sa récompense de la douane, naturellement.

Quand je sors à vélo, Philippe me regarde d'un air jaloux. Lui aussi, il veut avoir un vélomoteur mais il est trop jeune encore. Il faut avoir quatorze ans.

En effet, mon vélo n'est pas très rapide. Il ne peut pas dépasser 30 kilomètres/heure. Mais c'est très agréable car je n'ai pas besoin de pédaler, sauf quand je monte une côte. C'est le petit moteur sur la roue avant qui fait tout le travail.

Je me sers de mon vélo pour faire les achats en ville. Bie sûr, chaque fois que je le laisse devant un magasin, je le ferm à clef, à cause des voleurs. Je mets toujours mon panier provisions sur le porte-bagages au-dessus de la roue arrièr C'est vraiment très commode.

Grâce à mon vélo, je peux aller plus souvent rendre visite ma mère, qui est veuve et qui habite à trente kilomètres d Villeneuve. C'est un voyage difficile en car, donc elle ne nou voit pas très souvent. Maintenant je vais chez elle chaqu semaine; elle est contente de me voir et le voyage ne coût pas cher.

Il n'y a que deux désavantages—quand il fait mauvais, l pluie me trempe jusqu'aux os. Et aussi, il y a trop de voiture On doit faire attention tout le temps et on doit savoi parfaitement le Code de la route.

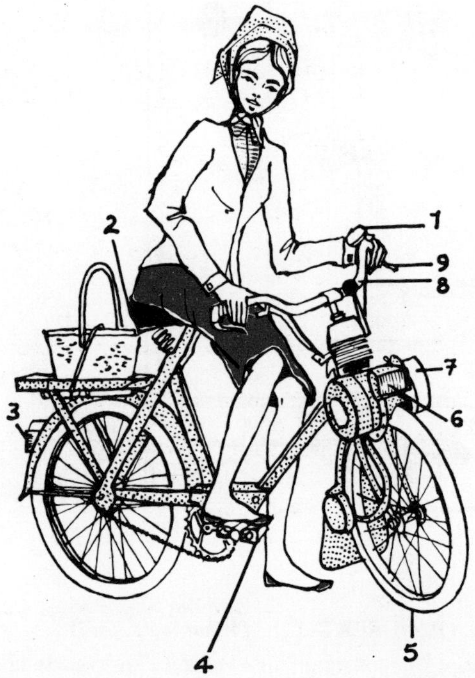

(1) **Le timbre** (on l'actionne pour avertir les gens qu'o arrive).

(2) **La selle** (quand on veut l'ajuster pour un cycliste qui es plus grand, on la déboulonne).

(3) **Le feu rouge** (on doit l'allumer quand on roule la nuit)

(4) **Les pédales** (on pédale seulement pour aider le moteu quand on veut monter une côte).

(5) **Le pneu** (quand il est crevé, on doit l'enlever; puis o répare la crevaison et enfin on remet le pneu sur la roue).

(6) **Le phare** (toujours jaune à l'avant).

(7) **Le moteur** (on le pousse sur la roue avant et il march automatiquement).

(8) **Le guidon** (on le tourne pour changer de direction).

(9) **Les freins** (on les serre pour les actionner quand on veu stopper).

---

l'avant *front*
le Code de la route *Highway Code*
le cycliste *cyclist*
le désavantage *disadvantage*
le feu rouge *rear light*
le frein *brake*
le guidon *handlebar*
le moteur *engine*
le phare *headlight*
le pneu *tyre*
le porte-bagages *luggage-carrier*
le timbre *bicycle bell*
le vélomoteur *motorised bicycle*

la côte *gradient*
la crevaison *puncture*
la pédale *pedal*
la pluie *rain*
la roue arrière *back wheel*
la roue avant *front wheel*
la selle *saddle*
la veuve *widow*

---

crevé *burst*
spécial (spéciaux) *special*

actionner *to operate, work*
ajuster *to adjust*
avertir *to warn*
avoir besoin de *to need*
avoir besoin de faire qq. ch. *to need to do something*
coûter cher *to be expensive*
déboulonner *to unbolt*
dépasser *to exceed*
enlever *to take off* (*like* lever)
mettre *to put* (regardez page 91)
pédaler *to pedal*
remettre *to put back*
rendre visite à *to visit*
serrer *to squeeze*
se servir de *to use*
stopper *to stop*
tremper jusqu'aux os *to soak to the skin*

automatiquement *automatically*
chaque fois *every time*
kilomètres/heure *m.p.h.*

ME, YOU, US, etc.

Jean ne **m'**entend pas.
Mais il peut **me** voir.

Tu ne **nous** aimes plus, Kiki?
Si, tu vas **nous** aimer.

Alain, je **t'**attends!
Tu dois **te** dépêcher.

Ah, **vous** voilà, les enfants!
Vous devez **vous** dépêcher.

Mon pneu est crevé.
Philippe **l'**enlève.
Il va **le** réparer.

Voilà la selle.
Papa **la** regarde de près.
Il doit **l'**ajuster.

Voilà les freins.
Marie-Claude **les** regarde de près.
Elle va **les** serrer.

A Si votre visage est sale, que faites-vous?
Je le lave.

Répondez:

(1) Si votre père vous punit, que fait-il?
(2) Si votre professeur vous punit, que fait-il?
(3) Si un pneu est crevé, que fait-on?
(4) Si votre cou est sale, que faites-vous?
(5) Si on veut actionner les freins d'un vélo, que fait-on?
(6) Si maman veut faire marcher le moteur de son vélomoteur, que fait-elle?
(7) Si vous êtes malade, que fait votre mère?
(8) Si nous oublions nos devoirs, que font nos professeurs?
(9) Si nous ne sommes pas sages, que font nos parents?
(10) Si vous ne voulez pas perdre votre vélo, que faites-vous?

B Peut-on voir la gare de votre salle de classe?
Oui, on peut la voir.

Répondez:

(1) Doit-on faire les devoirs avec soin?
(2) Aimez-vous faire la vaisselle pour votre maman?
(3) Savons-nous parler français et anglais?
(4) Peut-on voir votre maison du collège?
(5) Savez-vous réparer les pneus crevés?
(6) Vos parents savent-ils aider leurs enfants avec les mathématiques?
(7) Est-ce que les douaniers aiment attraper les contrebandiers?
(8) Est-ce que les agents veulent arrêter les voleurs?

METTRE—*(to put)*

Je mets la clef dans la serrure.

Tu mets l'assiette sur le rayon.
Mets ton chapeau: il fait froid!

Il met 20 minutes pour le voyage.

Nous mettons la lettre à la poste.
Mettons cet idiot à la porte!

Vous mettez 5 minutes à le faire.
Mettez cela dans votre poche et votre mouchoir dessus! (*Put that in your pipe and smoke it!*)

Les parents **mettent** l'enfant au lit.

C **Répondez (employez mettre ou remettre):**

(1) Que fais-je?

(2) Que fait Madame Bertillon?

(3) Que faites-vous?

(4) Que fait-elle?

(5) Que faisons-nous?

(6) Que fait Alain?

(7) Que font les Bertillon?

(8) Que fais-tu?

UN ACCIDENT DE LA ROUTE

1. Mme Bertillon sait parfaitement le Code de la route et elle fait toujours attention quand elle sort en vélo. Elle tient bien sa droite, elle s'arrête quand elle voit un feu rouge ou un panneau «Stop» et elle ralentit aux croisements.

2. Malheureusement, les chiens ne savent pas trop bien le Code de la route. Un jour Mme Bertillon descend la rue de Paris quand un chien stupide, qui aboie à toutes les bicyclettes, sort brusquement sur la chaussée. Elle essaie de l'éviter, elle freine mais le vélo dérape et elle tombe par terre.

3. Les passants viennent l'aider. Parmi eux il y a un médecin qui examine la jambe de la pauvre Mme Bertillon, qui se sent vraiment malade. Après quelques instants, il lui dit qu'il faut l'envoyer à l'hôpital. Un autre homme va téléphoner à l'hôpital pour faire venir l'ambulance.

4. À l'hôpital on fait une radiographie de la cheville de Mme Bertillon. Après une attente qui lui semble très longue, Mme Bertillon écoute le médecin qui lui dit qu'elle n'a pas la jambe cassée, mais puisqu'il s'agit d'une entorse assez grave, elle doit passer quelques jours à l'hôpital.

5. Assise au lit, Mme Bertillon s'ennuie. Ses amies lui envoient des cartes, on lui prête des livres, elle tricote un peu, elle bavarde beaucoup avec les autres malades, mais malgré tout cela, le temps lui dure.

6. Elle est contente quand la famille vient lui rendre visite. Papa et les enfants lui apportent des fleurs, des fruits et du chocolat. Qu'est-ce qu'elle leur donne en échange?—des conseils pour les corvées de ménage!

---

le croisement *junction*
un échange *exchange*
les feux *traffic-lights*
le ménage *household*
le panneau *road-sign*
une ambulance *ambulance*
l'attente *wait*
la bicyclette *bicycle*
la chaussée *roadway*
la corvée *chore*
une entorse *sprain*
la ménagère *housewife*
la radiographie *X-ray*
aboyer *to bark*
dépendre de *to depend on*
déraper *to skid*
s'ennuyer *to be bored*
envoyer *to send*
essayer de *to try to*
éviter *to avoid*
faire mal à *to hurt*
faire venir *to send for*
freiner *to brake*
prêter *to lend*
ralentir *to slow down*
sembler *to seem*
se sentir *to feel*
téléphoner à *to telephone*
brusquement *suddenly*
il s'agit de *it is a matter of...*
le temps lui dure *time drags for her*
parfaitement *perfectly*

TO ME, TO YOU, TO HIM, etc.

«Est-ce que papa **me** donne un cadeau, maman?»
«Oui, il **te** donne un cadeau, mon fils.»

«Papa **se** fait-il mal à la cheville?»
«Non, c'est maman qui **se** fait mal à la cheville.»

«Est-ce que maman va **nous** écrire de l'hôpital?»
«Oui, elle va **vous** écrire, mes enfants.»

Maman est contente: ses enfants **lui** envoient des cadeaux. Elle **leur** donne de bons conseils.

«Est-ce que ces garçons ne **se** lavent pas le cou chaque jour?»
«Non, mais leurs sœurs **se** lavent le cou tous les jours.»

PETITE HISTOIRE CRUELLE

Le professeur qui déteste les mauvais élèves entre dans la salle numéro vingt-quatre, et salue la classe. Il va donner une dictée à ses élèves. L'élève Vidocq dit au professeur qu'il n'a pas son cahier de français; l'élève Vautrin dit qu'il n'a plus d'encre. Le professeur donne du papier à Vidocq et de l'encre à Vautrin, mais il donne aussi aux deux élèves une heure de retenue. Non, il n'aime vraiment pas les mauvais élèves!

A **Répondez (employez me, te, etc.):**

(1) Que dit le professeur aux élèves?
(2) Que va-t-il donner aux élèves aujourd'hui?
(3) Qu'est-ce que Vidocq explique au professeur?
(4) Qu'est-ce que Vautrin explique au professeur?
(5) Le professeur donne-t-il de l'encre à Vidocq?
(6) Le professeur donne-t-il du papier à Vautrin?
(7) Que dit-il à Vidocq quand il lui donne une feuille de papier?
(8) Que dit-il à Vautrin quand il lui donne de l'encre?
(9) Que répondent Vidocq et Vautrin au professeur?
(10) Le professeur donne-t-il deux heures de retenue à Vautrin et à Vidocq?

B

À l'hôpital Madame Bertillon raconte l'histoire de son accident à une amie. «Je sors en vélo. Je descends la rue de Paris quand soudain . . .» Continuez son histoire en 60 mots approximativement.

C

Je me fais mal à la tête.
Répondez:

 (1) Les enfants . . .

 (6) Elles . . . .

 (2) Je . . . .

 (7) Tu . . . .

 (3) Nous . . . .

 (8) Marie-Claude . . . .

 (4) Vous . . . .

 (9) M. et Mme Bertillon . . . .

 (5) Il . . . .

 (10) Nous . . . .

S'ENNUYER ***(to be bored);***
ENVOYER ***(to send);***
ESSAYER ***(to try)***

J'essaie d'arriver à l'heure.

Tu envoies une carte postale à papa.
Envoie-moi dix francs, s'il te plaît!

Il s'ennuie en classe.

Nous essayons de l'aider.
N'envoyons pas d'argent à Marie-Claude!

Vous ne vous ennuyez plus ici, n'est-ce pas?
Envoyez-moi le paquet jeudi!

Ils s'ennuient pendant les heures de latin.

D. **Complétez (employez s'ennuyer, envoyer ou essayer):**

(1) Si je tombe par terre . . . .
(2) S'il pleut un jour de congé . . . .
(3) Si quelqu'un se sent gravement malade . . . .
(4) Si mon bulletin trimestriel n'est pas bon . . . .
(5) Si un ami vous écrit une lettre . . . .
(6) Si votre père fête son anniversaire . . . .
(7) Si on voit un accident de la route . . . .
(8) Si quelqu'un vous demande où il peut acheter des timbres . . . .
(9) Si un élève doit passer une heure en retenue . . . .
(10) Si les cours au collège ne sont pas intéressants . . . .

LES CORVÉES DE MÉNAGE

Pendant que Mme Bertillon est à l'hôpital (et elle y reste plus d'une semaine), son mari et les enfants doivent faire les corvées de ménage. Quelle confusion, surtout le jour du retour de maman. . . .

1. D'abord il faut nettoyer le salon. Papa passe l'aspirateur et Philippe essuie les meubles avec un chiffon. Marie-Claude leur donne des conseils.

Marie-Claude: J'espère que tu n'oublies pas de le pousser dans tous les coins, papa.
Papa: Oui, oui, d'accord.
Marie-Claude: Philippe, qu'est-ce que tu fais? Oh, fais attention, tu vas casser le vase favori de maman. Et nettoie bien les chaises—elles sont couvertes de poussière.
Philippe: Et toi? Tu ne fais rien.
Marie-Claude: Mais si, j'ai beaucoup de choses à faire. Je dois faire les lits et tout nettoyer en haut dans les chambres.
Philippe: Eh bien, vas-y. Parle moins et travaille un peu plus. Veux-tu emprunter mon chiffon, par exemple?
Marie-Claude: Non merci. Sers-t'en toi-même! Je n'en ai pas besoin. J'ai trop de choses à faire.

2. Tout le monde doit travailler, même le petit Alain. Dans la salle à manger il essaie de mettre le couvert. Il est vraiment trop petit, il monte donc sur une chaise. Miquet et Kiki sont très curieux de savoir pourquoi Alain ne joue pas dans la salle à manger. Marie-Claude y arrive pour lui donner les conseils.

Marie-Claude: Mais non, Alain. Tu dois mettre le couteau droite, la fourchette à gauche et la grande cuiller à droite d couteau. Voilà les assiettes sur le buffet. Il y en a deux pou chaque personne. Prends les verres et les serviettes dans l buffet et mets-les devant chaque couvert! Ça y est, comm ça.
Alain: Vas-tu m'aider un peu, Marie-Claude?
Marie-Claude: Moi? Non, j'ai trop de choses à faire.
Alain: Mais . . .
Marie-Claude: Il n'y a pas de mais. Sois sage et mets l couvert, et surtout ne casse rien! Je m'en vais, j'ai beaucou de choses à faire.

3. Dans la cuisine, Philippe et papa font la vaisselle. Pap lave les tasses, les bols et les soucoupes pendant que Philipp les essuie. C'est Marie-Claude qui les organise.
Marie-Claude: Papa, l'eau n'est pas assez chaude et il t faut encore du savon. Mets ce tablier pour protéger to beau pantalon.
Papa: Bon, bon, comme tu veux.
Marie-Claude: Attention à ces bols, Philippe. Ne les met pas sur le frigo, ils vont se casser. Mets-les plutôt sur l table! Essuie-les bien—ces tasses-ci ne sont pas sèches Dépêchez-vous, maman va arriver bientôt.
Philippe: J'espère qu'elle va être contente de tout le travai que nous faisons, papa et moi.
Papa: Espérons-le du moins. Vas-tu balayer le plancher Marie-Claude?
Marie-Claude: Ah non, papa, je n'en ai pas le temps. J'a beaucoup de choses à faire.

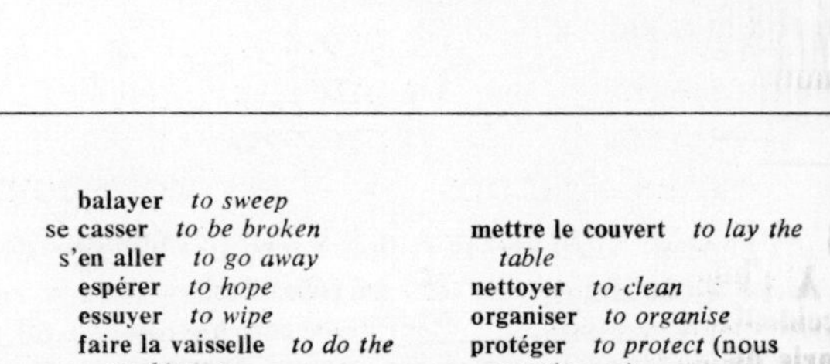
TOUT EST TRÈS PROPRE, TU ES UNE BONNE MÉNAGÈRE MARIE-CLAUDE
MERCI, MAMAN

---

un aspirateur *vacuum cleaner*
le couvert *place at table*
le verre *glass*
la confusion *confusion*
la poussière *dust*
la serviette *serviette*
sec (sèche) *dry*

balayer *to sweep*
se casser *to be broken*
s'en aller *to go away*
espérer *to hope*
essuyer *to wipe*
faire la vaisselle *to do the washing-up*
mettre le couvert *to lay the table*
nettoyer *to clean*
organiser *to organise*
protéger *to protect* (nous protégeons)

Vas-tu **au salon?**
Oui, j'**y** vais.

Travaille-t-il **dans sa chambre?**
Non, il n'**y** travaille pas.

La gare est-elle **au bout de la rue?**
Oui, elle **y** est.

L'agent est-il **au milieu de la rue?**
Non, il n'**y** est pas.

Combien d'autos y a-t-il?
Il y **en** a deux.

Il a **six ans,** et son frère?
Il **en** a quatre.

Prenez-vous **du sucre?**
Non, merci, je n'**en** prends jamais.

Ont-ils **beaucoup d'enfants?**
Non, ils n'**en** ont pas.

A

Suis-je au collège?
Non, tu n'y es pas.

Répondez (employez 'y' dans chaque réponse):

(1) Va-t-il au cinéma?

(2) Trouve-t-on des légumes au supermarché?

(3) L'église est-elle près de la gare?

(4) Voyez-vous l'auto derrière ce camion?

(5) Allez-vous à la maison?

(6) Ce train passe-t-il par Villeneuve?

(7) Maman rentre-t-elle chez elle?

(8) Allons-nous à l'église aujourd'hui?

ESPÉRER; PROTÉGER

J'espère	**Je protège**
Tu espères	**Tu protèges**
Il espère	**Il protège**
Nous espérons	Nous protégeons
Vous espérez	Vous protégez
Ils espèrent	**Ils protègent**

B Veux-tu acheter du bois?
Oui, je veux en acheter.

Répondez (employez 'en' dans chaque réponse):

(1) Est-ce qu'un homme riche a beaucoup d'argent?
(2) Combien d'heures de français avez-vous par semaine?
(3) Combien de frères avez-vous?
(4) Achetez-vous du pain à l'épicerie?
(5) Philippe a douze ans, et sa sœur?
(6) Combien de chemises blanches avez-vous?
(7) Combien de joueurs y a-t-il dans une équipe de hockey?
(8) Achète-t-on du vin à la boucherie?

Le bon ange dit:  Le petit diable dit: 

Lève-toi!  **Ne te lève pas!**

Écoute-la!  **Ne l'écoute pas!**

Vas-y!   **N'y va pas!**

Salue-les gentiment!   **Ne les salue pas du tout!**

C **Que dit le petit diable quand le bon ange vous dit:**

(1) Voilà ton devoir; fais-le!
(2) Voilà un homme pauvre; donne-lui de l'argent!
(3) Maman est malade; aide-la!
(4) Miquet dort au jardin; ne le dérange pas!
(5) Papa t'attend; dépêche-toi!
(6) Ton professeur est triste; parle-lui!
(7) Attention aux bols; ne les casse pas!
(8) Ce chocolat est trop cher; ne l'achète pas!

LES VACANCES APPROCHENT

Cette année au mois de juillet, les Bertillon vont passer leurs grandes vacances au bord de la mer, mais ils ne vont pas dans un hôtel—non, ça coûte trop cher. Ils ont l'intention de faire un séjour dans un camping près d'Houlgate en Normandie.

Ils n'y vont pas seuls, mais avec l'oncle Charles, la tan Marie et les cousins Roger et Simone. Les Duvivier, q habitent Épernay, ont une auto et une caravane. L Bertillon vont louer une grande tente et le matériel c camping. Tout le monde attend ces vacances avec gra plaisir—voici les lettres qu'ils s'écrivent.

Épernay, le 25 juin.

Ma chère Annette,

Que le temps passe vite! Nous voilà bientôt à Houlgate. Les enfants rêvent déjà au soleil et à la mer. Voici nos projets. L'année scolaire finit au début de juillet; nous allons donc partir tout de suite après le quatorze.

Nous espérons arriver chez vous de bonne heure le quinze pour ramasser tous vos bagages que nous allons transporter dans la caravane. À propos des meubles de camping – ne loue pas de chaises car nous en avons plusieurs et nous pouvons bien vous les prêter. (N'oublie pas de nous les rendre après les vacances, bien entendu!)

Je pense que votre train part vers dix heures, n'est-ce pas? Si par hasard nous sommes en retard, laisse les bagages devant la porte! Marie-Claude peut les y surveiller jusqu'à notre arrivée. Il y a de la place pour elle dans notre voiture.

En attendant le plaisir de vous revoir, nous vous embrassons tous.

Marie

Villeneuve, le 4 juillet

Ma chère Marie,

Merci de ta lettre de la semaine dernière. D'accord pour les projets du voyage de la semaine prochaine.

J'ai tant de choses à faire avant notre départ et il nous reste si peu de temps. Il y a des vêtements à préparer, les valises à faire; on doit penser à mille choses à la fois. Nous avons déjà les lits pliants et les enfants ont leurs sacs de couchage (qu'ils adorent d'ailleurs: il est difficile de les en faire sortir!) Quant aux couteaux, fourchettes, cuillers, assiettes, bols, tasses et toute la batterie de cuisine, je vais les mettre dans une grande caisse. Je pense qu'il est plus facile de les transporter de cette façon-là. Pour la trente-sixième fois, les enfants viennent de me rappeler les maillots de bain. "Ne les oublie pas", me disent-ils sans cesse. Mais après tout, le camping n'est pas loin d'Houlgate et même si on oublie quelque chose, on peut toujours l'acheter.

Bons baisers à tous,

Annette

---

le camping *camping-site*
le début *beginning*
un hôtel *hotel*
le lit pliant *camp-bed*
le maillot de bain *swimming costume*
le matériel de camping *camping equipment*
le projet *plan, project*
le sac de couchage *sleeping-bag*
le séjour *stay*

la batterie de cuisine *kitchen utensils*
la caisse *chest*
la caravane *caravan*
la tente *tent*

---

seul *alone*
plusieurs (*invariable*) *several*

avoir l'intention de *to intend to*
embrasser *to kiss*
louer *to hire*
ramasser *to collect, pick up*
rappeler *to remind* (like appeler)
rendre *to give back*
rêver à *to dream of*
surveiller *to keep an eye on*
transporter *to transport*

à propos de *with regard to*
bien entendu *of course*
de cette façon *in this way*
il y a de la place *there is room*
par hasard *by chance*
pour la trente-sixième fois *for the umpteenth time*
quant à *as for*
tant de *so many*

Est-ce qu'il { me / te / se / nous / vous } vend { le livre? / la chaise? / les billets?

Non, il ne { me / te / se / nous / vous } { le / la / les } vend pas.

A Il vous envoie la photographie.
Il vous l'envoie.

(1) Il ne me dit pas la nouvelle.
(2) Elle te montre ses photographies.
(3) M. Bertillon nous prête son scooter.
(4) Je vous montre mon vélo.
(5) Il m'achète les timbres allemands.
(6) Nous vous vendons les œufs.
(7) Marie-Claude s'offre le magnifique gâteau.
(8) Je me rappelle bien la date.

Donne-t-il { le livre / la pomme / les bonbons } { au garçon? / aux élèves?

Oui, il { le / la / les } { lui / leur } donne.

B J'offre le cadeau au professeur.
(i) Je l'offre au professeur.
(ii) Je le lui offre.

(1) Elle écrit les lettres à ses cousins.
(2) L'homme vend les fruits à maman.
(3) Vous envoyez le colis à vos amis.
(4) Il donne le billet de cinq francs à l'épicier.
(5) Il montre son billet au contrôleur.
(6) Tu dis la bonne nouvelle à tes parents.
(7) Je prête mon stylo à Marie-Claude.
(8) Ma tante achète ses robes à la tante Marguerite.

{ L' / Les } attends-tu à l'hôpital?

Oui, je { l' / les } y attends.

{ Lui / Leur } téléphonez-vous au collège?

Non, je ne { lui / leur } y téléphone jamais

C Il les fait à la maison.
Il les y fait.

(1) Je les écris dans le salon.
(2) Tu nous vois au coin de la rue.
(3) Nos amis nous attendent dans la cour.
(4) Le professeur me parle dans le couloir.
(5) Maman m'envoie à ma chambre.

Est-ce qu'il { me / te / se / nous / vous } prête { des / dix / beaucoup de } livres?

Non, il ne { m' / t' / s' / nous / vous } en prête pas.

D Il me donne du vin.
Il m'en donne.

Il me donne dix francs.
Il m'en donne dix.

(1) Il m'envoie quelques francs.
(2) Nous leur offrons trop de vin.
(3) Il vous achète des gâteaux.
(4) Elles me montrent des timbres.
(5) Je lui envoie six œufs.
(6) Elle leur écrit deux lettres.
(7) Il m'achète trois timbres.
(8) Nous leur vendons vingt pommes.

Voici une enveloppe adressée à la française.
Au verso on écrit sa propre adresse.
Si on envoie une lettre à l'étranger, il faut y mettre un timbre à un franc quarante.
Si on envoie une carte postale à l'étranger, il faut y mettre un timbre à un franc.

Écrivez une lettre à un(e) ami(e) français(e). Vous êtes en vacances en France avec vos parents et vous allez passer par la ville où habite votre ami(e). Demandez-lui si vous pouvez prendre rendez-vous avec lui (elle). N'oubliez pas de dessiner l'enveloppe adressée à la française!

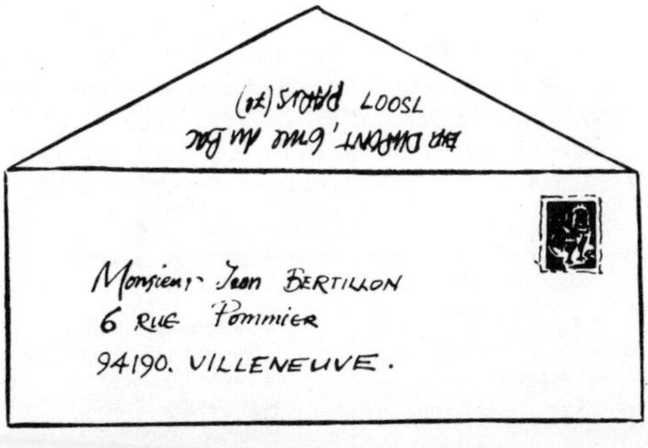

AU CAMP

Les Bertillon et les Duvivier s'amusent bien sur le terrain de camping d'Houlgate. Il y a la plage tout près où ces enfants actifs peuvent se baigner dans la mer ou faire des châteaux de sable. Quand ils sont fatigués, ils peuvent se reposer dans la tente ou dans la caravane.

C'est un très bon camp—spécialement recommandé même. Il y a un terrain de sports où on peut jouer au volley-ball, mais Philippe et Roger, puisqu'ils ne sont pas encore très grands, préfèrent jouer au ping-pong. Roger joue mal et c'est donc Philippe qui gagne presque toujours.

M. Bertillon et l'oncle Charles préfèrent jouer à la pétanque et après la partie, quand ils ont soif, ils vont boire un verre de vin blanc au bar. Alain et Simone sont trop jeunes pour faire des sports mais ils s'amusent bien sur la balançoire.

Les dames peuvent faire leurs achats sans sortir du camp car il y a une boutique d'alimentation générale près de l'entrée. Malheureusement, elles doivent toujours préparer les repas elles-mêmes, mais quand elles sont trop fatiguées, les deux familles peuvent aller manger au restaurant.

Si on ne peut pas trouver Marie-Claude, on sait toujours où elle se trouve—dans la salle de récréation. Pourquoi? C'est qu'il y a un grand poste de télévision dans la salle de récréation et elle peut donc continuer de regarder ses programmes favoris—même en vacances!

A **COMMENT CHOISIR UN BON CAMPING POUR VOS VACANCES EN FRANCE**

	1	2	3	4	5	6	7
Caen		I–XII	3	☀			🚗 (🚐
Honfleur	☎	IV–IX	2	☀ 🌲🌲		🏠	🚗 🚐
Houlgate	☎	I–XII	S	☀ 🌲🌲	✕ 🍷	🏠 ⛺	🚗 🚐
Paris	☎	IV–XII	1	🌲🌲			🚗 🚐
Cricquebœuf		IV–IX	3	🌲🌲	✕ 🍷		(🚗)(🚐

le bar *bar*
le château de sable *sand-castle*
le ping-pong *table tennis*
le terrain *ground, site*
le volley-ball *volleyball*

la balançoire *swings*
la buvette *light refreshment bar*
la partie *game*
la pétanque *bowls*
la plage *beach*

actif (active) *active*
ombragé *shaded*
recommandé *recommended*

se baigner *to bathe*
préférer faire qq. ch. *to prefer to do something* (*like* **espérer**)

IOULGATE

EXPLICATION DES SIGNES

(1) Téléphone au camp

(2) IV–X Ouvert d'avril à octobre

(3) 1— première classe; 2— deuxième classe; 3— troisième classe; S— spécialement recommandé

(4) Situé au bord de la mer; Terrain ombragé

(5) Restaurant; Buvette

(6) Salle-abri (*shelter*) pour campeurs; Matériel

(7) Accessible aux autos; Accessible aux caravanes

Accès difficile aux autos; Accès difficile aux caravanes

ADVERBS

facile	facile	**facilement**
naturel	naturelle	**naturellement**
heureux	heureuse	**heureusement**
actif	active	**activement**
premier	première	**premièrement**

B Il crie d'une façon furieuse.
Il crie furieusement.

(1) L'accident arrive d'une façon malheureuse.
(2) Cet homme travaille d'une façon rapide.
(3) Elle parle toujours d'une façon légère.
(4) Le professeur punit les élèves d'une façon cruelle.
(5) Il joue au volley-ball d'une façon habile.
(6) Elle passe sa vie d'une façon joyeuse.
(7) Il parle d'une façon générale.
(8) Nous faisons nos devoirs d'une façon sérieuse.
(9) Ce camping est recommandé d'une façon spéciale.
(10) Il se fait mal d'une façon mystérieuse.

RÉVISION

A Elle reste au lit: le bras . . . .
Elle reste au lit: le bras lui fait mal.

Complétez:

(1) Je tombe par terre: la tête . . . .
(2) Il se coupe: le doigt . . . .
(3) Il est malade: la jambe gauche . . . .
(4) Tu gardes le lit: est-ce que la tête . . . .
(5) Ma mère tombe malade: les yeux . . . .
(6) Alain et Marie-Claude sont malades: les jambes . . . .
(7) Je vais chez le médecin: la main gauche . . . .
(8) Nous allons à l'hôpital demain: les bras . . . .
(9) Vous n'allez pas au collège aujourd'hui: est-ce que la tête . . . .
(10) Il tombe devant le vélo: les bras et les jambes . . . .

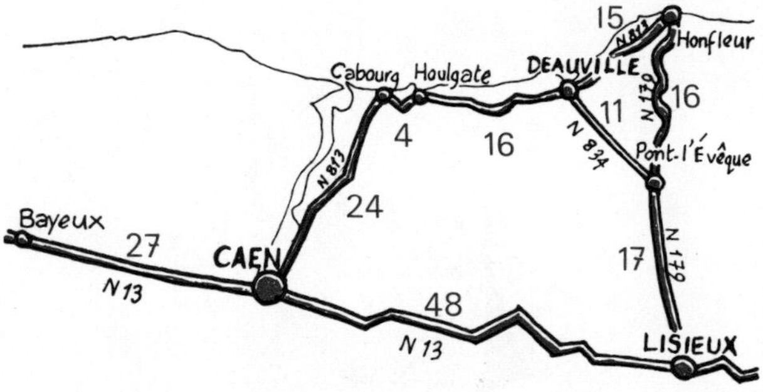

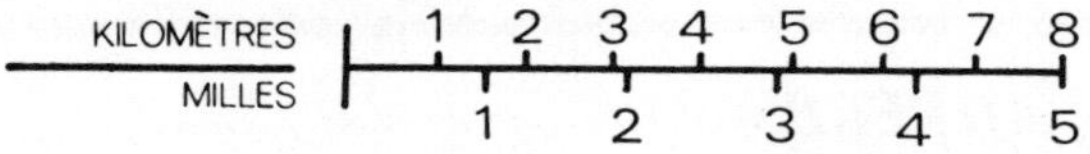

Pour changer les kilomètres en milles anglais, il faut multiplier par 5 et diviser par 8.
Pour convertir les milles en kilomètres, il faut multiplier par 8 et diviser par 5.

B **Répondez:**

(1) La famille Bertillon va d'Houlgate à Deauville en car. Combien de kilomètres fait-elle? Et combien de milles? (N'oubliez pas le retour!)
(2) M. Duvivier va en auto voir un ami à Caen et un autre ami à Lisieux. Combien de kilomètres fait-il? Et combien de milles?
(3) Les 2 familles vont voir la célèbre tapisserie à Bayeux. Combien de milles font-elles? Et combien de kilomètres?
(4) La famille Duvivier passe par Deauville pour aller à Honfleur, puis retourne par Pont l'Évêque. Quelle distance fait-elle en milles, et en kilomètres?
(5) Philippe va à pied à Cabourg, puis il revient à Houlgate. Combien de milles fait-il? Et combien de kilomètres?

C **Répondez (employez un de ces verbes dans chacune de vos réponses: dormir, partir, se sentir, se servir de, servir à, sortir):**

(1) Que fais-je?

(2) Que fait cet homme?

(3) Que faisons-nous?

(4) Où va-t-elle?

(5) Comment va ce garçon?

(6) À quoi sert cet objet?

(7) Qu'employez-vous?

(8) À quelle heure quitte-t-il le collège?

(9) Qui passe l'aspirateur?

(10) Comment va ce monsieur?

D **Choisissez un verbe dans cette liste pour compléter ces phrases: acheter, emmener, espérer, (se) lever, mener, préférer, protéger.**

(1) Il va faire beau demain, j'——.
(2) Les parents —— leurs enfants à Deauville.
(3) L'élève —— la main gauche.
(4) Nous —— le café au thé.
(5) On n' —— pas le vin à la boucherie.
(6) —— Kiki au parc, Philippe et Alain!
(7) Les enfants —— à huit heures du matin.
(8) Nous —— le petit enfant contre la pluie.
(9) Ne lui —— pas son vélo, mon fils!
(10) —— -vous voyager par avion ou en voiture?

E **Répondez (choisissez un verbe dans cette liste: balayer, employer, ennuyer, envoyer, essayer, essuyer, nettoyer):**

(1) Pour nettoyer le tapis, j'—— l'aspirateur.
(2) Ce méchant garçon n'—— pas de faire de son mieux.
(3) —— le tableau noir, s'il vous plaît!
(4) Je —— le plancher parce que l'aspirateur ne marche plus.
(5) Ce film n'est pas intéressant; il m'——.
(6) Il —— un cadeau à la tante Marguerite.
(7) En classe ils n'—— jamais de mots anglais.
(8) Après le repas elle s'—— les mains.
(9) Nous —— d'arriver au collège avant 9 heures.
(10) —— -vous vos souliers dans le salon?

RÉVISION

'oici une journée typique dans la vie de Madame Bertillon. acontez l'histoire de sa journée.

G Cet homme est habile: il travaille ——.
Cet homme est habile: il travaille habilement.

1) Cette femme est joyeuse: elle crie ——.
2) Ce camion est lent: il roule ——.
3) Ce camping est très spécial: il est —— recommandé.
4) Ces messieurs sont mystérieux: ils travaillent ——.
5) Cette porte est automatique: elle s'ouvre ——.
6) Ce cheval est rapide: il galope ——.
7) C'est un monsieur sérieux: il parle ——.
8) Ce joueur-là est mauvais: il joue ——.
9) Ce joueur-ci est bon: il joue ——.
10) Sa voix à lui est meilleure: il chante ——.

H Répondez (employez 'y' dans chaque réponse):

1) Le Prisunic est-il à gauche?
2) L'église se trouve-t-elle derrière le café-tabac?
3) Est-ce que les passants traversent la rue au coin?
4) Est-ce que le vélo de Philippe se trouve devant le restaurant?
5) L'auto anglaise est-elle stationnée près de la gare?

Répondez (employez 'en' dans chaque réponse):

(6) Y a-t-il beaucoup de personnes dans cette image?
(7) Combien d'autobus voyez-vous?
(8) Voit-on des clients dans les magasins?
(9) Quel est le nom de cette rue?
(10) Combien de personnes y a-t-il sur le trottoir devant le restaurant?

I PARIS—LONDRES

		9 RAPIDE 1re 2e cl.	261 EXPRESS 1re 2e cl.	19 RAPIDE 1re 2e cl.	365 RAPIDE 1re 2e cl.
PARIS Nord..	D	8 12	.....	12 20	22 00
St-Lazare	D	|	10 15	|	|
DIEPPE-	A	|	12 24	|	|
Maritime	D	|	13 00	|	|
AMIENS	D	9 23	|	13 41	|
CALAIS-	A	11 17	|	15 39	|
Maritime	D	12 00	|	16 05	|
DUNKERQUE-	A	|	|	La Flèche d'Or	1 10
Ferry	D	|	|	|	2 25
FOLKE-	A	13 30	|	|	|
STONE	D	14 13	|	|	|
DOVER	A	|	|	17 25	6 05
	D	|	|	18 05	7 20
NEWHAVEN	A	|	16 45	|	|
	D	|	17 18	|	|
LONDRES- Vic.	A	15 42	18 38	19 31	9 10

J Le professeur donne le cahier à l'élève.
(i) Il le lui donne.
(ii) Il dit: «Je vous le donne.»
(iii) L'élève répond: «Oui, vous me le donnez, monsieur.»

(1) L'agent montre le cinéma au touriste.
(i) L'agent . . . .
(ii) L'agent dit: «Je . . . .»
(iii) Le touriste répond: «Merci, monsieur l'agent, vous . . . .»

(2) Le garçon donne la lettre à ses parents.
(i) Il . . . .
(ii) Le garçon dit: «Je . . . .»
(iii) Ses parents lui répondent: «Tu . . . .»

(3) Elle paie les vingt francs au charbonnier.
(i) Elle . . . .
(ii) Elle dit: «Je . . . .»
(iii) Il lui répond: «Oui, madame, vous . . . .»

(4) L'homme achète les baguettes au boulanger.
(i) Il . . . .
(ii) L'homme dit: «Je . . . .»
(iii) Le boulanger lui répond. «Oui, monsieur, vous . . . .»

(5) Elle raconte l'histoire à ses enfants.
(i) Elle . . . .
(ii) Elle dit: «Et maintenant je . . . .»
(iii) Ses enfants lui répondent: «Oui, maman, tu . . . .»

BONNES VACANCES!
AU REVOIR!

MOTS CROISÉS

Horizontalement

(1) Au goûter on mange souvent de la —— sur des tartines.
(6) Où est la sacoche —— facteur ?
(7) Le professeur écrit au tableau noir avec un —— de craie.
(8) «Où —— tu, Alain ?»
(9) Quand le soleil brille, —— fait beau.
(11) Aimez-vous le football ? ——, bien sûr !
(12) Quand les élèves sages arrivent à la maison, —— —— tout de suite leurs devoirs.
(14) «Ajoutez ces deux lettres au mot «sur» et vous avez Marie-Claude», dit Philippe.
(15) Faites toujours attention quand vous traversez la ——
(16) Nous avons besoin —— deux francs pour acheter cela.
(17) Un verbe très important à la page 21.
(18) Kiki appartient aux Bertillon; c'est —— chien.

Verticalement

(1) Un endroit près du stade et qui n'est pas très gai.
(2) La «Flèche d'Or» part de la gare du ——.
(3) «Allons au cinéma !» «C'est une bonne ——.»
(4) J'ai onze ans et toi, —— —— quatre ans.
(5) Si vous ne pouvez pas comprendre quelque chose, le professeur peut vous l'——.
(9) «Le repas est délicex.» Oh! Philippe, tu écris mal. Tu oublies les lettres ——.
(10) Quand c'est l'anniversaire de quelqu'un, on lui —— des cadeaux.
(11) Quand un homme poli entre dans une maison, il —— son chapeau.
(13) Le 25 décembre.
(16) Je ne trouve toujours pas la sacoche —— facteur.

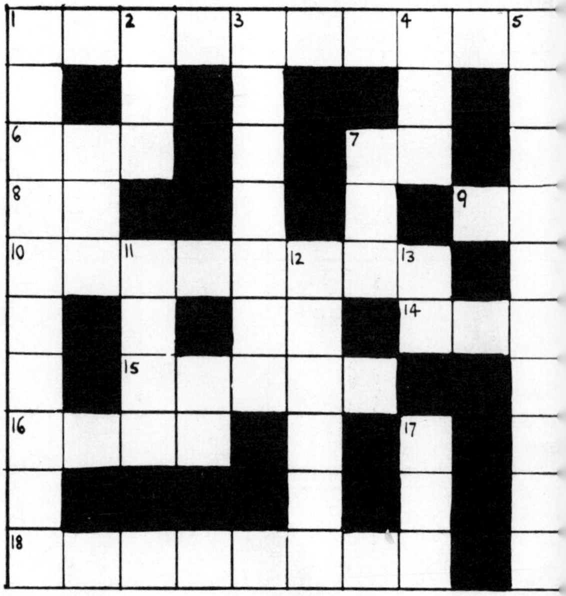

Horizontalement

(1) Je peux —— mon professeur quand il parle français
(6) Quand on joue à pile ou face, on fait tourner une pièce d'argent en l'——.
(7) «Une exurion.» Quelles lettres manquent ?
(8) Pour transformer un œil en quelque chose qui brille en été, il faut ajouter ces lettres.
(9) «Qui es-tu ?» «—— suis Marcel.»
(10) Le Christ, le —— est né à Bethléhem.
(14) En hiver quand il neige, on peut faire du ——.
(15) «Ah, tu arrives enfin. Ne reste pas là. —— dans la maison.»
(16) Un mot qui nous aide à apprendre l'accent aigu.
(18) Un berger est un homme qui garde un —— de moutons.

Verticalement

(1) Les élèves ne sont pas toujours contents de voir leur —— final sur leur bulletin scolaire.
(2) Le premier janvier on attache un nouveau calendrier au —— du salon.
(3) Cette chose sert à verser l'eau dans la baignoire.
(4) Je dis que j'ai raison mais tu —— que j'ai tort.
(5) C'est quelque chose que Philippe trouve intéressant dans les cours de chimie.
(7) La girafe est un animal qui a un très grand ——
(11) «Que faisons-nous cet après-midi ?» «J'ai une ——; faisons une promenade !»
(12) D'habitude les élèves n'aiment pas une interrogation ——; ils aiment mieux une interrogation orale.
(13) Ces deux lettres viennent après PQ.
(17) Un liquide sans couleur que nous buvons et qui tombe du ciel.

ET MAINTENANT, ESSAYEZ DE FAIRE DES MOTS CROISÉS VOUS-MÊMES

VERBES

ER
je porte
tu portes
il porte
nous portons
vous portez
ils portent

acheter
j'achète
tu achètes
il achète
nous achetons
vous achetez
ils achètent
D'autres verbes comme cheter: emmener, geler, ever.

espérer
j'espère
tu espères
il espère
nous espérons
vous espérez
ils espèrent
D'autres verbes comme espérer: préférer, protéger.

appeler
j'appelle
tu appelles
il appelle
nous appelons
vous appelez
ils appellent
D'autres verbes comme ppeler: s'appeler, épeler, appeler, jeter.

essayer
j'essaie
tu essaies
il essaie
nous essayons
vous essayez
ils essaient
D'autres verbes comme essayer: aboyer, balayer, envoyer, essuyer, nettoyer, payer.

commencer
je commence
tu commences
il commence
nous commençons
vous commencez
ils commencent
D'autres verbes comme ommencer: annoncer, vancer, effacer, lancer, re-ommencer.

manger
je mange
tu manges
il mange
nous mangeons
vous mangez
ils mangent
D'autres verbes comme manger: bouger, changer, corriger, déranger, interroger, voyager, protéger.

-IR
je finis
tu finis
il finit
nous finissons
vous finissez
ils finissent

-RE
je vends
tu vends
il vend
nous vendons
vous vendez
ils vendent

aller je vais
tu vas
il va
nous allons
vous allez
ils vont

apprendre comme prendre

avoir j'ai
tu as
il a
nous avons
vous avez
ils ont

boire je bois
tu bois
il boit
nous buvons
vous buvez
ils boivent

comprendre comme prendre

contenir comme tenir

couvrir comme ouvrir

découvrir comme ouvrir

devoir je dois
tu dois
il doit
nous devons
vous devez
ils doivent

dire je dis
tu dis
il dit
nous disons
vous dites
ils disent

dormir je dors
tu dors
il dort
nous dormons
vous dormez
ils dorment

écrire j'écris
tu écris
il écrit
nous écrivons
vous écrivez
ils écrivent

être je suis
tu es
il est
nous sommes
vous êtes
ils sont

faire je fais
tu fais
il fait
nous faisons
vous faites
ils font

lire je lis
tu lis
il lit
nous lisons
vous lisez
ils lisent

mettre je mets
tu mets
il met
nous mettons
vous mettez
ils mettent

offrir comme ouvrir

ouvrir j'ouvre
tu ouvres
il ouvre
nous ouvrons
vous ouvrez
ils ouvrent

partir je pars
tu pars
il part
nous partons
vous partez
ils partent

pleuvoir il pleut

pouvoir je peux (je puis)
(puis-je?)
tu peux
il peut
nous pouvons
vous pouvez
ils peuvent

prendre je prends
tu prends
il prend
nous prenons
vous prenez
ils prennent

remettre comme mettre

savoir je sais
tu sais
il sait
nous savons
vous savez
ils savent

se sentir comme partir

sortir comme partir

souffrir comme ouvrir

tenir je tiens
tu tiens
il tient
nous tenons
vous tenez
ils tiennent

venir je viens
tu viens
il vient
nous venons
vous venez
ils viennent

voir je vois
tu vois
il voit
nous voyons
vous voyez
ils voient

vouloir je veux
tu veux
il veut
nous voulons
vous voulez
ils veulent

VOCABULAIRE

à to, at, in
d'abord at first
aboyer to bark
absolument absolutely
un accident accident
d'accord O.K., I agree
un achat purchase; faire les achats to go shopping
acheter to buy
actif(-ve) active
actionner to operate
les actualités télévisées (f.) the T.V. news
additionner to add up
l'admiration (f.) admiration
adorer to adore
une adresse address
un aéroport airport
les affaires (f.) 'things'; business
affreux(-se) horrible
l'âge (m.) age
âgé old
un agenda diary
un agent de police policeman
il s'agit de it's a question of
agréable pleasant
aider to help
ailleurs elsewhere; d'—— besides
aimer to like, love; —— mieux to prefer
aîné elder
un air air, look; avoir l'air de to look as if; en l'—— up in the air
ajuster to adjust
une alimentation générale foodshop
une allée pathway, drive
l'allemand (m.) German language
l'Allemagne Germany
aller to go; —— à la pêche to go fishing; s'en —— to go away
un aller simple single ticket; un —— et retour return ticket
allumer to light
une allumette match
alors then, well
les Alpes (f.) Alps
une ambulance ambulance
un ami, une amie friend
amusant amusing, enjoyable
s'amuser to be amused
un an year
un âne ass
un ange angel
l'anglais English language
un Anglais Englishman
l'Angleterre (f.) England
un animal (-aux) animal
une année year
un anniversaire birthday
annoncer to announce
anxieux (-se) anxious
anxieusement anxiously
août (m.) August
appartenir to belong
appeler to call; s'—— to be called
apporter to bring
apprendre to learn
approcher to approach
s'approcher de to come close to
après after
un après-midi afternoon; de l'—— p.m. (until 5 p.m.)

un arbre tree; un —— généalogique family tree
l'argent (m.) money; l'—— de poche pocket money
l'arithmétique (f.) arithmetic
une armoire cupboard, wardrobe
un arrêt bus stop
s'arrêter to stop
une arrivée arrival
arriver to arrive, to happen
un article article
un aspirateur vacuum cleaner
asseyez-vous! sit down!
assez fairly, rather; —— de enough
assieds-toi! sit down!
une assiette plate
assis seated; être —— to be sitting down
assister à to be present at
un atelier workshop
l'athlétisme (m.) athletics; faire de l'——to do athletics
attacher to fix on to
attendre to wait for
l'attente (f.) waiting; salle d'—— waiting room
l'attention (f.) attention; faire —— to look out, pay attention
atterrir to land
attraper to catch
une auberge inn
aujourd'hui today
aussi also
l'automne (m.) autumn
automatique automatic
automatiquement automatically
autre other
avancer to advance, be fast (of clock)
l'avant (m.) front
avant before (time); avant de (faire) before (doing something)
avec with
une aventure adventure
avertir to warn
un avertisseur bicycle bell or horn
un avion plane
avoir to have; —— l'air de to look like; —— x ans to be aged x years; —— faim to be hungry; —— froid to be cold; —— peur to fear; —— raison to be right; —— soif to be thirsty; —— tort to be wrong
avril (m.) April

le bacon bacon
les bagages (m.) luggage; faire ses —— to pack
la baguette long thin loaf
se baigner to bathe
la baignoire bath-tub
la balançoire swing
balayer to sweep
le ballon ball, balloon
la banane banana
le banc bench, desk-seat
la banlieue suburbs
la banque bank
le bar bar
la barbe chin, beard; quelle ——! what a bore!
la barrière barrier, gate
le bas stocking
la basse-cour farmyard
la bataille battle, fight
le bâtiment building
la batterie (de cuisine) kitchen utensils
bavarder to chatter
beau (bel, belle) beautiful, fine
beaucoup much, a lot; —— de monde many people
le berger shepherd
besoin, avoir —— de to need
bête stupid
la bête animal
la bêtise stupid act
le beurre butter
la bibliothèque library; bookshelves
le bic biro
la bicyclette bicycle
bien well; —— entendu of course
bientôt soon; à ——! see you soon!
la bière beer
le bifteck beefsteak
le billet ticket, note
le biscuit biscuit
blanc (-che) white
bleu blue
blond blond, fair
le bœuf ox, beef
boire to drink
le bois wood
la boisson drink
la boîte box, tin
le bol bowl
bon (-ne) good
le bonbon sweet
bonjour good-day, good morning
le bord side; au —— de la mer at the seaside
la boucherie butcher's shop
bouger to move
la bougie candle
bouilli boiled
la boulangerie baker's shop
la bouteille bottle
la boutique shop
le bouton button, knob
le bras arm
bravo! well done!
briller to shine
la brosse (à dents) (tooth)brush
le brouhaha din
le brouillard fog, mist
brouillé mixed up, scrambled
le bruit noise
brun brown
brusquement suddenly
la bûche log; la —— de chocolat chocolate cake
le buffet buffet, sideboard
le bulletin report; cloakroom ticket
le bureau desk, office; le —— de tabac tobacconist's; le —— de renseignements enquiry office
le buvard blotting-paper
la buvette light refreshme bar

ça that; —— va O.K.; —— y est! that's it, there we are!
le cabinet study
cache-cache, jouer à —— to play hide and seek
caché hidden
cacher to hide; se —— to hide oneself
le cadeau gift
le café coffee, café; le —— au lait white coffee; le —— -tabac café where tobacco an cigarettes are sold
la cafetière coffee pot
la caisse case; cash desk
la caissière female cashie
le calcul sum
calculer to calculate
le calendrier calendar
le calme calm
le/la camarade friend
le camembert Camembert cheese
le camion lorry
la campagne countryside; à la —— in the country
le camping camping (site)
le canapé sofa
le canard duck
le canif penknife
la canne à pêche fishing rod
la cantine canteen, dining-hall
car for
le car (motor)coach
la caravane caravan
la carotte carrot
le carrefour crossroads
la carte card; map; la —— postale postcard
la casquette cap
cassé broken
(se) casser to break
la casserole pan
à cause de because of
la cause cause
causer to cause; chat
la cave cellar
ce, cet, cette, ces this, that, these, those
célèbre famous
une centaine de hundred of
le centime centime (100 equal one franc)
le centre centre
certain certain
sans cesse all the time
c'est-à-dire that's to sa
chahuter to make a din
la chaîne chain, T.V. channel
la chaise chair
la chambre room, bedroom

le **champ** *field*
la **chance** *luck;* **avoir de la ——** *to be lucky*
changer *to change*
chanter *to sing*
le **chanteur** *singer*
le **chapeau** *hat*
chaque *each*
le **charbon** *coal*
le **charbonnier** *coalman*
la **charcuterie** *pork-butcher's shop; sausages, etc.*
le **chariot** *cart*
le **chariot à bagages** *luggage trolley*
charmant *charming*
le **charpentier** *carpenter*
chasser *to chase, hunt*
le **chat** *cat*
le **château** *stately home;* **le —— de sable** *sandcastle*
chaud *hot,warm*
la **chaudière** *boiler*
la **chaussée** *roadway*
la **chaussette** *sock, stocking*
le **chef de gare** *station-master*
le **chemin** *road*
la **cheminée** *mantlepiece, chimney, fireplace*
la **chemise** *blouse, shirt;* **la —— de nuit** *nightie*
le **chèque** *cheque*
cher *dear*
chercher *to look for*
chéri(e) *darling*
le **cheval (-aux)** *horse*
les **cheveux** (m.) *hair*
la **cheville** *ankle*
chez *at the house (shop) of*
chic alors! *smashing!*
le **chien** *dog*
le **chiffon** *duster*
le **chocolat** *chocolate*
choisir *to choose*
le **choix** *choice*
la **chose** *thing*
le **chou-fleur** *cauliflower*
chut! *hush!*
le **ciel** *sky*
la **cigarette** *cigarette*
le **cimetière** *cemetery*
le **cinéma** *cinema*
circulaire *circular*
la **classe** *class, classroom*
le **classement** *order of merit*
le **client** (la **cliente**) *customer*
le **cochon** *pig*
le **Code de la route** *Highway Code*
le **cognac** *brandy*
le **coin** *corner*
collectionner *to collect*
le **collège** *secondary school*
combien de *how much, how many*
le **comble; ça, c'est le ——** *that's the last straw*
le **commencement** *beginning*
commencer *to begin*
comment *how*
la **commode** *chest of drawers*
commode *convenient*
le **compartiment** *compartment*
complètement *completely*
compléter *to complete*
le **comportement** *behaviour*
la **composition** *composition*
comprendre *to understand*
compter *to count*
le **comptoir** *counter*
la **conduite** *conduct*
la **confiserie** *sweetshop*

la **confiture** *jam*
confortable *comfortable*
la **confusion** *confusion*
le **congé** *day off*
conseiller *to advise*
la **consigne** *left-luggage office*
le **consommé** *clear soup*
consulter *to consult*
contenir *to contain*
content *happy*
le **contenu** *contents*
le **continent** *continent*
continuer *to continue*
au **contraire** *on the contrary*
contre *against*
le **contrebandier** *smuggler*
le **contrôleur** *ticket inspector*
la **conversation** *conversation*
copier sur *to copy off*
coquerico *cock-a-doodle-doo*
la **corbeille** *basket*
la **corde** *rope; clothes line*
le **corps** *body*
correct *correct*
corriger *to correct*
la **corvée** *chore*
la **côte** *coast; slope*
le **côté** *side;* **à —— de** *beside*
la **côtelette** *cutlet*
couché *in bed*
coucher *to put to bed;* **se ——** *to go to bed*
la **couleur** *colour*
le **couloir** *corridor*
couper *to cut*
du **courage!** *cheer up!*
le **cours** *lesson, period*
court *short*
le **cousin,** la **cousine** *cousin*
le **coussin** *cushion*
le **coûteau** *knife*
coûter *to cost;* **—— cher** *to be dear*
le **couvercle** *lid*
le **couvert** *place setting;* **mettre le ——** *to lay the table*
couvert de *covered with*
couvrir *to cover*
le **cowboy** *cowboy*
la **craie** *chalk*
la **cravate** *tie*
le **crayon** *pencil*
la **crèche** *crib*
la **crème** *cream*
la **crémerie** *dairy*
creux (-se) *hollow*
la **crevaison** *puncture*
crevé *burst*
le **cri** *shout*
crier *to shout*
le **croisement** *crossing*
le **croissant** *breakfast roll*
cruel *cruel*
la **cuiller** *spoon;* **la —— ée** *spoonful*
la **cuisine** *cooking, kitchen*
la **cuisinière** *cooker*
la **cuisse** *thigh, hind leg*
la **culotte** *short trousers*
curieux (-se) *curious*
la **curiosité** *curiosity*
le **cycliste** *cyclist*

la **dame** *lady*
dans *in, into*
danser *to dance*
la **date** *date*

de *of, from*
déboulonner *to unbolt*
le **début** *beginning*
décembre (m.) *December*
décevant *disappointing*
décider *to decide*
découvrir *to discover*
décrivez! *describe!*
défendre *to defend*
défendre (à qqn de faire qq. ch.) *to forbid*
déjà *already*
déjeuner *to have lunch or breakfast*
le **déjeuner** *lunch;* le **petit ——** *breakfast*
délicieux (-se) *delicious*
demain *tomorrow*
demander *to ask for;* **se ——** *to wonder;* **demander à quelqu'un de faire quelque chose** *to ask someone to do something*
demi *half*
démodé *out of date*
la **dent** *tooth*
le **dentifrice** *toothpaste*
dépasser *to overtake, exceed, cross*
se **dépêcher de faire quelque chose** *to hurry to do something*
dépendre de *to depend on*
au **dépens de** *at the expense of*
dépenser *to spend*
déposer *to put down, to deposit*
déranger *to disturb*
déraper *to skid*
dernier (-ère) *last*
derrière *behind*
désastreux (-se) *disastrous*
le **désavantage** *disadvantage*
descendre *to go downstairs, to carry down*
désespéré *desperate*
désirer *to want*
désormais *henceforth*
le **dessert** *dessert*
le **dessin** *drawing;* **les dessins animés** *cartoons*
dessiner *to draw*
dessus *on top*
au-**dessus de** *above*
le **détective** *detective*
détester *to hate*
deuxième *second*
devant *in front of*
devenir *to become*
le **devoir** *duty; piece of homework*
devoir *to have to, must*
Dieu *God*
la **différence** *difference*
difficile *difficult*
la **difficulté** *difficulty*
le **dimanche** *Sunday*
la **dinde** *hen turkey*
le **dîner** *dinner*
dîner *to have dinner*
dire *to say*
le **directeur** *director, manager; headmaster*
la **direction** *direction*
la **discussion** *discussion*
le **disque** *record*
distribuer *to distribute*
le **docteur** *Doctor (title)*
le **doigt** *finger*
dommage, quel——! *what a pity!*
donc *so, therefore*
donner *to give*
dormir *to sleep*
le **dos** *back*
la **douane** *customs*
le **douanier** *customs officer*

doucement *softly*
la **douche** *shower*
doué de *gifted with*
doute, sans —— *of course*
doux (-ce) *sweet, soft*
le **drap** *sheet*
le **drapeau** *flag*
droit *right;* **tout ——** *straight on*
à droite *on the right*
dur *hard*
durer *to last;* **le temps lui dure** *he/she has time on his/her hands*

l'**eau** (f.) *water*
un **échange** *exchange*
s'**échapper** *to escape*
un **éclair** *flash of lightning*
éclater de rire *to burst out laughing*
une **école** *school*
économies, faire des —— *to save up*
écouter *to listen to*
un **écran** *screen*
écrire *to write*
écrit *written*
une **écurie** *stable*
un **écusson** *blazer badge*
l'**éducation physique** (f.) *P.E.*
effacer *to clean (a blackboard)*
en **effet** *indeed*
un **effort** *effort*
effroyable *frightening*
une **église** *church*
électrique *electric*
un, une **élève** *pupil*
embrasser *to embrace*
emmener *to lead away*
un **emploi du temps** *timetable*
un **employé** *clerk*
emprunter *to borrow*
en *in, on*
l'**encens** (m.) *incense*
encore *still, yet, again;* **—— une fois** *once more;* **—— une tasse** *another cup*
l'**encre** (f.) *ink*
un **endroit** *place*
un, une **enfant** *child*
enfin *at last*
enlever *to carry off, take off*
s'**ennuyer** *to be bored*
ennuyeux (-se) *boring*
ensemble *together*
entendre *to hear*
une **entorse** *sprain*
entre *between*
une **entrée** *entry*
entrer *to enter*
une **enveloppe** *envelope*
à l'**envers** (m.) *upside down; inside out*
environ *about*
s'**envoler** *to fly away, take off*
envoyer *to send*
épeler *to spell*
épouvantable *terrible*
une **épreuve** *test*
un **escalier** *staircase*
l'**espagnol** (m.) *Spanish language*
espèce d'imbécile! *blithering idiot!*
espérer *to hope*
essayer *to try*
essuyer *to wipe*

l'est (m.) *east*
un **estomac** *stomach*
et *and*
une **étable** *cattle shed*
un **étage** *storey*
l'été (m.) *summer*
une **étoile** *star*
étonné *astonished*
être *to be*
un **évier** *sink*
éviter *to avoid*
exact *exact*
exactement *exactly*
examiner *to examine*
une **excursion** *excursion*
par **exemple** *for example*
un **exercice** *exercise*
une **expérience** *experience; experiment*
expliquer *to explain*
extraordinaire *extraordinary*
extrêmement *extremely*

la **face** *face; heads (of coin);* **en —— de** *opposite;* **la —— pile** *tails (of coin)*
facile *easy*
la **façon** *way*
le **facteur** *postman*
faible *weak*
la **faim** *hunger;* **avoir ——** *to be hungry*
faire *to do, make;* **—— venir** *to send for;* **—— mal à** *to hurt*
familier (-ère) *familiar*
la **famille** *family*
la **farce** *joke*
la **farine** *flour*
fatigué *tired*
il **faut** *it is necessary*
la **faute** *mistake*
le **fauteuil** *armchair*
favori (-ite) *favourite*
les **félicitations** (f.) *congratulations*
la **femme** *woman*
la **fenêtre** *window*
la **ferme** *farm*
fermer *to close;* **—— à clef** *to lock*
le **fermier** (la **fermière**) *farmer (farmer's wife)*
les **fervents** (m.) *'the fans'*
la **fête** *feast, birthday*
le **feu** *fire; traffic light;* **à —— vif** *(cook) quickly;* **à —— doux** *(cook) slowly;* **le —— rouge** *tail light*
la **feuille** *leaf; sheet of paper*
février (m.) *February*
la **figure** *face; figure*
la **file** *row*
la **fille** *daughter;* la **jeune ——** *girl*
la **fillette** *little girl*
le **film** *film;* **le —— policier** *'thriller'*
le **fils** *son*
fin *fine*
la **fin** *end*
final *final*
finir *to finish*
la **fleur** *flower*
le **foin** *hay*
la **fois** *time;* **à la ——** *simultaneously*

au **fond de** *at the bottom of*
le **football** *football*
la **forêt** *forest*
en **forme de** *shaped like*
formidable *smashing*
fort *strong;* **—— bien** *very well*
fou (fol, folle) *mad*
le **fouet** *whip*
le **foulard** *scarf*
la **foule** *crowd*
la **fourchette** *fork*
fours, les **petits ——** *small cakes*
frais (fraîche) *fresh*
la **fraise** *strawberry*
le **franc** *franc*
français *French*
frapper *to knock, strike*
fraude, passer en —— *to smuggle*
le **frein** *brake*
freiner *to brake*
le **frère** *brother*
le **frigo** *fridge*
frisé *curly*
la **frite** *chip*
froid *cold;* **il fait ——** *the weather is cold*
le **fromage** *cheese*
le **fruit** *fruit (just one)*
fumant *piping hot*
fumer *to smoke*
furieusement *furiously*
furieux (-se) *furious*
le **fusil** *gun*

gagner *to gain, earn, win, reach*
gai *gay*
le **gant** *glove*
le **garage** *garage*
le **garçon** *boy*
garder *to keep;* **—— le lit** *to stay in bed;* **—— le silence** *to stay quiet*
la **gare** *station*
le **gâteau** *cake*
gâter *to spoil*
gauche *left;* **à ——** *on the left*
geler *to freeze*
la **gendarmerie** *police station*
en **général** *generally*
généralement *generally*
le **genou** *knee;* **à genoux** *kneeling down*
les **gens** (m.) *people*
gentil (-ille) *nice*
la **géographie** *geography*
la **glace** *ice; ice cream*
glisser *to slip*
la **gloire** *glory*
la **gomme** *rubber*
la **gorge** *throat*
le **goûter** *tea (meal)*
grâce à *thanks to*
la **grammaire** *grammar*
grand *big, tall*
la **grand-mère** *grandmother*
le **grand-père** *grandfather*
les **grands-parents** (m.) *grandparents*
le **grenier** *loft, attic*
grillé *toasted*
la **grippe** *'flu*
gris *grey*
grogner *to grumble*
gronder *to tell off*
gros (-sse) *big, fat*
le **groupe** *group*

se **grouper** *to be grouped*
guéri *cured*
la **guerre mondiale** *World War*
le **guichet** *booking office*
le **guidon** *handlebars*

habile *clever*
s'habiller *to get dressed*
un **habitant** *inhabitant*
d'habitude *usually*
haché *minced*
par hasard *by chance*
le **haut-parleur** *loudspeaker*
hélas *alas*
herbes, les fines —— *herbs chopped fine for cooking*
le **héros** *hero*
hésiter *to hesitate*
une **heure** *hour;* **de bonne ——** *early;* **à l'——** *on time*
heureusement *fortunately*
heureux (-se) *fortunate*
hier *yesterday;* **hier soir** *last night*
une **histoire** *story, history*
l'hiver (m.) *winter*
un **homme** *man*
un **hôpital** *hospital*
horizontalement *'clues across'*
une **horloge** *clock*
un **hôtel** *hotel*
un **hôtel de ville** *Town Hall*
l'huile (f.) *oil;* **l' —— d'olive** *olive oil*
l'humeur (f.), **de mauvaise ——** *in a bad temper*

une **idée** *idea*
un **idiot** *idiot*
il y a *there is, there are*
une **image** *picture*
un **imbécile** *fool*
un **imperméable** *raincoat*
impossible *impossible*
incapable *incapable*
indescriptible *indescribable*
un **Indien** *Red Indian*
indiquer *to indicate, point to*
inquiétant *worrying*
inspecter *to inspect*
un **inspecteur** *inspector;* **un —— principal** *chief inspector*
s'installer *to settle down*
un **instant** *instant*
l'instruction civique (f.) *civics*
insupportable *unbearable*
intelligent *intelligent*
l'intention (f.), **avoir l'—— de** *to intend to*
intéressant *interesting*
un **intérieur** *interior*
interminable *unending*
une **interrogation** *oral test*
interroger *to question*
un **interrupteur** *switch*
inutile *useless*
inviter *to invite*
l'Italie (f.) *Italy*
l'italien (m.) *Italian language*
un **Italien** *Italian man*

jaloux (-se) *jealous*
la **jambe** *leg*
le **jambon** *ham*
janvier (m.) *January*
le **jardin** *garden*
le **jardinier** *gardener*
jaune *yellow*
le **jaune d'œuf** *egg yolk*
jeter *to throw*
le **jeu** *game*
le **jeudi** *Thursday*
jeune *young*
la **joie** *joy*
joli *pretty*
la **joue** *cheek*
jouer *to play*
le **joueur** *player*
le **jour** *day;* **le —— de congé** *holiday*
le **journal (-aux)** *newspaper*
la **journée** *day's activity*
joyeux (-se) *happy*
les **Juifs** (m.) *the Jewish people*
juillet (m.) *July*
juin (m.) *June*
la **jupe** *skirt*
jusqu'à *until, right to*
juste *just, correct*

le **képi** *peaked cap*
le **kilo** *kilogramme ($2\frac{1}{5}$ lb.)*
le **kilomètre** *kilometre ($\frac{5}{8}$ of a mile);* **x kilomètres/heure** *x kilometres per hour*

là *there;* **—— -bas** *over there*
laisser *to leave;* **—— tomber** *to drop*
le **lait** *milk*
la **lampe** *lamp;* **la —— de poche** *torch*
lancer *to throw*
la **langue** *language*
le **lavabo** *washbasin*
laver *to wash;* **se laver** *to get washed*
la **leçon** *learning homework*
légèrement *lightly*
le **légume** *vegetable*
le **lendemain matin** *the following morning*
lent *slow*
lentement *slowly*
la **lettre** *letter*
lever *to lift;* **se ——** *to get up*
la **librairie** *bookshop*
libre *free*

les **lieux** (m.), **arriver sur les ——** *to arrive on the spot*
la **ligne** *line*
le **liquide** *liquid*
lire *to read*
la **liste** *list*
le **lit** *bed;* **le —— pliant** *folding bed*
le **litre** *litre* (1·74 *pints*)
le **livre** *book*
la **livre** *pound*
la **locomotive** *locomotive;* **la —— à vapeur** *steam loco.;* **la —— électrique** *electric loco.*
loin *far*
lointain *distant*
long (-ue) *long*
le **loto** *bingo*
louer *to hire; to rent*
lourd *heavy, sultry*
le **lundi** *Monday*
la **lune** *moon*
les **lunettes** (f.) *glasses*

la **machine à laver** *washing machine*
le **magasin** *shop*
le **magazine** *magazine*
le **mage** *Wise Man*
magnifique *magnificent*
mai (m.) *May*
le **maillot de bain** *swimming costume*
la **main** *hand*
maintenant *now*
mais *but*
la **maison** *house*
la **maîtresse** *mistress*
mal *badly;* **faire mal à** *to hurt;* **avoir mal à** *to have a pain in*
malade *sick*
le, la **malade** *patient*
la **maladie** *illness*
malgré *in spite of*
malheureusement *unluckily*
malheureux (-se) *unlucky*
maman *Mummy*
le **mandat** *postal order*
manger *to eat*
manquer *to miss*
le **marchand de glaces** *ice cream man*
marcher *to work (of machinery); to walk*
le **mardi** *Tuesday*
le **mari** *husband*
le **match** *match*
le **matériel de camping** *camping material*
la **maternelle** *kindergarten*
les **mathématiques** (f.) *maths.*
la **matière** *subject*
le **matin** *morning;* **du ——** *a.m.*
mauvais *bad*
le **maximum** *maximum*
méchant *naughty*
le **médecin** *doctor*
le **médicament** *medicine*
méfiant *suspicious*
meilleur *better;* **le ——** *best*
même *even; same*
la **mémoire** *memory*
le **ménage** *household*
la **ménagère** *housewife*
le **menton** *chin*
la **mer** *sea*
merci *thanks*
le **mercredi** *Wednesday*
la **mère** *mother*
mériter *to deserve*
la **messe** *Mass, church service*
le **métro** *Underground*
mettre *to put*
la **météorologie nationale** *National Weather Office*
meublé *furnished*
les **meubles** (m.) *furniture*
midi (m.) *noon*
le **Midi** *South*
mieux *better;* **ça va ——** *that's better now*
au **milieu de** *in the middle of*
des **milliers de** *thousands of*
un **million** *million*
mince *thin*
miniature *miniature*
le **ministre** *minister*
minuit (m.) *midnight*
la **minute** *minute*
le **miroir** *mirror*
moderne *modern*
moi-même *myself*
moins *less, minus*
du **moins** *at least*
le **mois** *month*
le **monde** *world;* **tout le monde** *everybody*
la **monnaie** *change*
monter *to go up, to carry up*
la **montre** *watch*
montrer *to point to, to show*
le **morceau** *bit*
la **mort** *death*
le **moteur** *engine (of car)*
les **mots croisés** (m.) *crossword*
le **mouchoir** *handkerchief*
le **moulin (à vent)** *(wind) mill*
la **moutarde** *mustard*
le **mouton** *sheep*
moyen (-ne) *mean, average*
la **moyenne** *average mark*
municipal (-aux) *municipal*
le **mur** *wall*
la **musique** *music*
la **myrrhe** *myrrh*
mystérieux (-se) *mysterious*

national (-aux) *national*
naturellement *naturally*
la **neige** *snow*
neiger *to snow*
nettoyer *to clean*
ne . . . pas *not;* **ne . . . jamais** *never;* **ne . . . personne** *nobody;* **ne . . . que** *only;* **ne . . . plus** *no more;* **ne . . . rien** *nothing*
né *born*
n'est-ce pas? *isn't it? aren't we? etc.*
le **nez** *nose*
Noël (m.) *Christmas;* **Joyeux Noël!** *Happy Christmas!*
noir *black*
la **noix** *walnut*
le **nom** *name*
le **nombre** *number*
nombreux *numerous*
non *no*
le **nord** *North*
la **note** *mark*
le **nougat** *nougat*
la **nourriture** *food*
nouveau (nouvel, nouvelle) *new;* **le —— -né** *baby*
la **nouvelle** *piece of news*
novembre (m.) *November*
le **nuage** *cloud*
la **nuit** *night;* **il fait ——** *it's dark*

un **objet** *object*
une **observation** *remark*
observer *observe*
occupé *busy*
octobre (m.) *October*
un **œil (les yeux)** *eye*
un **œuf** *egg*
officiel (-lle) *official*
offrir *to offer (as a gift)*
un **oignon** *onion*
un **oiseau** *bird*
ombragé *shaded*
on *one, we, they*
un **oncle** *uncle*
une **opinion** *opinion*
l'**or** (m.) *gold*
un **orage** *storm*
une **orange** *orange*
une **ordonnance** *prescription*
une **oreille** *ear*
organiser *to organize*
l'**orthographe** (f.) *spelling*
un **os** *bone*
oser *to dare*
ôter *to take off*
ou *or*
où *where*
oublier *to forget*
l'**ouest** (m.) *west*
oui *yes*
un **ours** *bear*
ouvrir *to open*

P.T.T. *G.P.O.*
la **page** *page*
le **pain** *bread*
la **paire** *pair*
la **paix** *peace*
pâle *pale*
la **pancarte** *poster, notice*
le **panier** *basket*
le **panneau** *road sign*
le **pantalon** *trousers*
la **pantoufle** *slipper*
papa *Daddy*
la **papeterie** *stationer's shop*
le **papier** *paper*
le **paquet** *packet, parcel*
par *by;* **—— exemple** *for example;* **—— mois** *per month;* **—— semaine** *per week;* **—— ici** *along here*
le **parapluie** *umbrella*
le **parc** *park*
parce que *because*
le **pardessus** *overcoat*
par-dessus *over*
pardon! *sorry!*
les **parents** (m.) *parents; relations*
paresseux (-se) *lazy*
parfait *perfect*
parfaitement *perfectly*
le **parfum** *perfume*
le **parking** *car park*
parler *to talk*
parmi *amongst*
la **partie** *game, part;* **en ——** *partly*
partir *to set out*
partout *everywhere*
pas du tout *not at all*
le **passage à niveau** *level crossing*
le **passager** *passenger*
le **passant** *passer-by*
passer *to pass, to spend (time)*
passionnant *gripping*
la **pâte** *pastry*
la **pâtisserie-confiserie** *confectioner's shop*
patient *patient*
pauvre *poor*
payer *to pay for*
le **pays** *country*
la **peau** *skin;* **faire —— neuve** *to turn over a new leaf*
la **pêche** *fishing;* **aller à la ——** *to go fishing*
pêcher *to fish*
la **pédale** *pedal*
pédaler *to pedal*
le **peigne** *comb*
la **peinture** *painting, paint*
pendant *during;* **—— que** *while*
la **pendule** *clock*
penser *to think*
perdre *to lose;* **—— son temps** *to waste one's time*
perdu *lost*
le **père** *father*
le **persil** *parsley*
la **personne** *person;* **ne . . . personne** *nobody*
la **pétanque** *bowls*
petit *small;* **le —— déjeuner** *breakfast;* **le —— -enfant** *grandchild*
un **peu** *a little;* **peu après** *shortly after*
le **peuplier** *poplar-tree*
peur, avoir —— *to be afraid*
peut-être *perhaps*
le **phare** *headlight*
la **pharmacie** *chemist's shop*
le **pharmacien** *chemist*
le **philosophe** *philosopher*
la **phrase** *sentence, phrase*
la **pièce** *room;* **la —— d'argent** *coin*
le **pied** *foot*
le **pilote** *pilot*
le **ping-pong** *table tennis*
la **pipe** *pipe*
la **piste** *track, runway*
le **placard** *wall cupboard*
la **place** *square; seat; place;* **il y a de la ——** *there's room*
le **plafond** *ceiling*
la **plage** *beach*
le **plaisir** *pleasure*
le **plancher** *floor*
le **plat** *dish*
le **plateau** *tray*
plein *full*
pleurer *to weep*
pleuvoir (il pleut) *to rain*
la **pluie** *rain*

le **plumier** *pencil-case*
plus *more;* —— **tard** *later;* —— **ou moins** *more, or less;* **ne . . . plus** *no more;* **plus de tabac** *no more tabacco*
plusieurs *several*
plutôt *rather*
le **pneu** *tyre*
la **poche** *pocket*
la **poêle** *frying pan*
le **point, être sur le** —— **de** *to be on the point of*
la **poire** *pear*
le **poisson** *fish;* **le** —— **d'avril** *April Fool's joke*
le **poivre** *pepper*
poli *polite*
poliment *politely*
la **pomme** *apple;* **la** —— **de terre** *potato*
le **pont** *bridge*
le **porc** *pig, pork*
la **porte** *door*
le **porte-bagages** *luggage carrier*
le **portemanteau** *hatstand*
porter *to carry, wear*
le **porteur** *porter*
poser *to put, place*
la **Poste** *post office*
P.T.T. *G.P.O.*
le **poste de télévision** *T.V. set;* **le** —— **de pompiers** *fire station*
le **pot** *pot, jug*
le **potage** *soup*
le **poteau indicateur** *signpost*
le **poulailler** *hen-house*
la **poule** *hen*
le **poulet** *chicken*
pour *for, in order to*
pourquoi *why*
pousser *to push;* —— **des cris** *to shout*
la **poussière** *dust*
pouvoir *to be able*
préférer *to prefer*
premier (-ière) *first*
prendre *to take*
le **prénom** *Christian name*
préparer *to get ready*
près de *near*
presque *nearly*
pressé *in a hurry*
prêt à *ready to*
prêter *to lend*
prié de *asked to*
primaire *primary*
principal (-aux) *principal, chief*
le **printemps** *spring*
le **prix** *price; prize*
probablement *probably*
le **problème** *problem*
prochain *near, next*
le **professeur** *teacher*
le **programme** *programme;* **le** —— **de variétés** *variety programme*
le **projet** *plan*
la **promenade** *walk*
à propos de *with reference to*
propre *clean* (une chemise propre)
propre *own* (ma propre chemise)
protéger *to protect*
en provenance de *coming from*
les **provisions** (f.) *foodstuffs*
la **prune** *plum*
public (-ique) *public*
la **publicité** *advertising*
puis *then*
puisque *since*
le **pull-over** *pullover*
puni *punished*
punir *to punish*
la **punition** *punishment*
le **pupitre** *desk*

le **pyjama** *pair of pyjamas*
les **Pyrénées** (f.) *Pyrenees*

le **quai** *platform, quay*
quand *when*
quant à *as for*
le **quartier** *district*
quel, quels, quelle, quelles *what . . .? which . . .?*
quelque chose *something*
quelquefois *sometimes*
quelques *some, a few*
quelqu'un *someone*
se **quereller** *to have a quarrel*
la **question** *question*
la **queue** *queue, tail*
qui *who . . .?; who, which*
la **quincaillerie** *ironmonger's shop*
quitter *to leave*
qu'y a-t-il? *what's the matter?*

raconter *to narrate*
le **radiateur** *radiator*
la **radio** *radio*
la **radiographie** *X-ray*
le **raisin** *grapes*
raison, avoir —— *to be right*
ralentir *to slow down*
ramasser *to pick up*
le **rapide** *express*
rapide *quick*
rapidement *quickly*
rappeler *to recall;* **se** —— *to remember*
rarement *rarely*
se **raser** *to get shaved*
le **rayon** *shelf*
en **réalité** *actually*
la **recette** *recipe*
la **récitation** *recitation*
recommander *to recommend*
la **récompense** *reward*
recopier *to copy out again*
la **récréation** *break*
le **reçu** *receipt*
la **rédaction** *essay*
regarder *to look at;* —— **fixement** *to stare at*
la **région** *region*
la **règle** *ruler*
le **règlement** *rule*
remarquable *remarkable*
remarquer *to notice*
remercier *to thank*
remettre *to put back*
rempli de *filled with*
remplir *to fill*
rencontrer *to meet*
rendre *to give back;* **se** —— **à** *to go to;* —— **visite à** *to visit*
renoncer à *to give up*
les **renseignements** (m.) *information*
renseigner *to give information to*
la **rentrée** *going back, return*
rentrer *to go back (home)*
réparer *to repair*
le **repas** *meal*
répondre *to reply*

la **réponse** *reply*
se **reposer** *to rest*
réservé à *reserved for*
la **résolution** *resolution*
le **restaurant** *restaurant*
rester *to stay*
en **retard** *late*
retarder *to be slow*
la **retenue** *detention*
retomber *to fall down*
le **retour** *return*
retourner *to return*
réussir à *to succeed in*
rêver à *to dream of*
le **réveille-matin** *alarm clock*
réveiller *to wake (someone);* **se** —— *to wake up (oneself)*
le **réveillon** *Christmas Eve supper*
le **rez-de-chaussée** *ground floor*
riche *rich*
ridicule *ridiculous*
de **rien** *don't mention it*
la **rivière** *river*
la **robe** *dress*
le **robinet** *tap*
le **roi** *king*
la **roue** *wheel;* **la** —— **avant** *front wheel;* **la** —— **arrière** *back wheel*
rouge *red*
rougir *to turn red, blush*
rouler *to roll; to travel*
la **route** *road, route;* **en** —— **pour** *on the way to*
royal (-aux) *royal*
le **ruban** *ribbon*
la **rue** *street*
le **rugby** *rugby;* **le** —— **à 13** *R.L.;* **le** —— **à 15** *R.U.*

le **sac** *bag;* **le** —— **de couchage** *sleeping bag;* **le** —— **à dos** *rucksack;* **le** —— **à main** *handbag*
la **sacoche** *(postman's) bag*
sage *well-behaved*
sain et sauf *safe and sound*
saisir *to seize, grasp*
la **saison** *season*
sale *dirty*
salé *salted*
la **salle** *room;* **la** —— **d'attente** *waiting room;* **la** —— **de bains** *bathroom,* **la** —— **de classe** *classroom;* **la** —— **à manger** *dining room;* **la** —— **des pas perdus** *main entrance hall at large station*
le **salon** *lounge, sitting room*
salut! *hello!*
le **samedi** *Saturday*
sans *without;* —— **doute** *of course*
la **santé** *health*
le **sapin de Noël** *Christmas tree*
satisfaisant *satisfactory*
la **sauce** *sauce*
la **saucière** *gravy boat*
la **saucisse** *sausage (ready to be cooked)*
sauf *except*
se **sauver** *to run away*
le **Sauveur** *Saviour*

le **savon** *soap*
savoir *to know (something you have learnt)*
la **scène** *scene*
scolaire *school (adjective)*
le **scooter** *scooter*
sec (sèche) *dry*
second *second*
au **secours!** *help!*
le **secret** *secret*
le **séjour** *stay*
le **Seigneur** *the Lord*
le **sel** *salt*
la **selle** *saddle*
la **semaine** *week*
sembler *to seem*
la **semeuse** *sower*
le **sens** *sense, direction;* **avoir du bon** —— *to be sensible*
le **sentier** *path*
se **sentir** *to feel*
septembre (m.) *September*
sérieux *serious, grave*
serrer *to squeeze, to apply (brakes), to grasp tightly, to shake (hands)*
la **serviette** *serviette, brief case*
servir *to serve;* —— **à** *to be used for;* **se** —— **de** *to make use of*
seul *alone*
seulement *only*
sévère *strict*
si *yes (contradicting someone)*
si *if;* **s'il te/vous plaît** *please*
le **siècle** *century*
le **silence** *silence;* **en** —— *in silence*
silencieusement *silently*
silencieux (-se) *silent*
simplement *simply*
situé *situated*
la **sixième** *first form*
le **skieur** *skier*
la **sœur** *sister*
la **soif, avoir** —— *to be thirsty*
le **soir** *evening;* **du** —— *p.m. (after 5 p.m.)*
la **soirée** *evening (party)*
le **soleil** *sun*
sonner *to ring*
la **sonnerie** *ringing (of a bell)*
la **sortie** *exit*
sortir *to go out*
la **soucoupe** *saucer*
soudain *suddenly*
souffler *to blow (out)*
souffrir *to suffer*
le **soulier** *shoe*
souriant *smiling*
la **souris** *mouse*
sous *under*
le **sous-sol** *basement*
souvent *often*
soyez sage! *be good!*
la **speakerine** *female announcer*
spécial (-aux) *special*
la **spécialité du jour** *'today's special'*
splendide *splendid*
le **stade** *stadium*
la **station de taxis** *taxi rank*
stopper *to stop*
le **stylo** *fountain pen*
la **sucette** *lollipop*
le **sucre** *sugar*
sucré *sugared*
le **sud** *south*
ça **suffit** *that's enough*
suisse *Swiss*
la **Suisse** *Switzerland*
le **supermarché** *supermarket*

supplémentaire *supplementary; extra*
sur *on, upon*
sûr *sure;* **bien ——** *of course*
sûreté, être en toute —— *to be quite safe*
surprise, quelle ——! *what a surprise!*
surtout *especially*
surveiller *to keep an eye on*

le **tabac** *tobacco*
la **table** *table;* **à ——** *breakfast, etc. is ready*
le **tableau** *picture;* **le —— noir** *blackboard;* **le —— d'affichage** *notice-board*
le **tablier** *apron*
la **tache** *stain, spot*
la **taille** *figure*
tailler *to sharpen*
tais-toi! (taisez-vous!) *be quiet!*
le **talent** *talent*
le **tamis** *sieve*
tant de *so much, so many*
la **tante** *aunt*
le **tapis** *carpet*
tard *late;* **plus ——** *later*
la **tartine** *slice of bread and butter*
le **tas** *heap*
la **tasse** *cup*
le **taxi** *taxi*
le **téléphone** *telephone*
téléphoner à *to telephone to*
la **télévision** *T.V.*
le **temps** *time;* **à ——** *in time;* **en même ——** *at the same time;* **le —— lui dure** *he/she is bored*
tenir *to hold;* **se ——** *to stand*
la **tente** *tent*
terminer *to finish (something);* **se ——** *to come to an end*
le **terrain** *ground*
la **terrasse** *terrace*
la **terre** *land, earth*
la **tête** *head*
le **thé** *tea*
le **théâtre** *theatre*
le **tic-tac** *ticking*
le **ticket** *ticket*
tiède *lukewarm*
le **timbre (-poste)** *stamp; bicycle bell*
la **tirelire** *money box*
tirer *to pull*
le **tiroir** *drawer*
le **titre** *title*
le **toit** *roof*
la **tomate** *tomato*
tomber *to fall (on)*
le **tonnerre** *thunder*
tort, avoir —— *to be wrong*
toucher *to touch*
toujours *always*
le **tour** *tour; trick; turn*
la **tour** *tower;* **la —— de contrôle** *control tower*
le **touriste** *tourist*
le **tourne-disques** *record player*
tourner *to turn*
tout, toute, tous, toutes *all;* **tout le monde** *everyone;* **tout droit** *straight on;* **tout de suite** *at once;* **toutes les x minutes** *every x minutes*
le **train** *train*
la **tranche** *slice*
transporter *to transport*
le **travail** *work*
travailler *to work*
T.S.E. *science practicals*
à travers *across*
traverser *to cross*
trébucher *to stumble*
trembler *to tremble*
tremper jusqu'aux os *to soak to the skin*
très *very*
le **trésor** *treasure*
tricher *to cheat*
le **tricheur**/la **tricheuse** *cheat*
tricoter *to knit*
trimestriel *termly*
triste *sad*
troisième *third*
trop *too;* **—— de** *too much; too many*
le **trottoir** *pavement*
le **troupeau** *herd, flock*
trouver *to find;* **se ——** *to be situated*

un **uniforme** *uniform*
utile *useful*

les **vacances** (f.) *holidays;* **en ——** *on holiday;* **les grandes ——** *summer holidays*
la **vache** *cow*
la **vaisselle, faire la ——** *to wash up*
valable *valid*
la **valeur** *value*
la **valise** *suitcase*
la **vanille** *vanilla*
le **vase** *vase*
le **veau** *calf, veal*
la **veille** *the day before, the night before*
le **vélo** *bike*
le **vélomoteur** *motorised bicycle*
la **vendeuse** *saleswoman*
vendre *to sell*
le **vendredi** *Friday*
venir *to come;* **il vient de** *he has just*
le **vent** *wind*
en vente *on sale*
vérifier *to check*
le **verre** *glass*
le **vers** *line (of poetry)*
vers *towards, about*
au verso de *on the back of*
vert *green*
verticalement *'clues down'*
le **vestibule** *hall*
le **veston** *coat*
les **vêtements** (m.) *clothes*
la **veuve** *window*
la **viande** *meat*
vide *empty*
vider *to empty*
la **vie** *life*
vieux, vieil, vieille, vieux, vieilles *old;* **mon vieux** *'old chap'*
la **ville** *town, city*
le **vin** *wine*
le **visage** *face*
la **visite** *visit; search;* **rendre —— à** *to visit (someone)*
visiter *to visit (a place)*
le **visiteur** *visitor*
vite *quickly*
la **vitesse** *speed;* **à toute ——** *at top speed*
la **vitrine** *shop window; display case*
voici *here is, here are*
la **voie** *way; railway line; side of platform*
voilà *there is, there are*
voir *to see*
le **voisin,** la **voisine** *neighbour*
la **voiture** *(railway) carriage; motor car*
la **voix** *voice*
le **vol** *flight; theft*
voler *to steal*
le **voleur** *thief;* **au ——!** *stop thief!*
le **volley-ball** *volleyball*
je voudrais *I should like*
vouloir *to want, wish*
le **voyage** *journey*
voyager *to travel*
le **voyageur (de commerce)** *(commercial) traveller*
vrai *true*
vraiment *truly*
la **vue** *view, sight*

les **W.C.** (m.) *W.C.*
le **week-end** *weekend*
le **western** *Western film*

y *there, to it*

zéro *nil*
zut! *dash it!*

INDEX GRAMMATICAL

TABLE DES MATIÈRES